こちら葛飾区亀有公園前派出所⑥

治

こちら葛飾区亀有公園前派出所⑥

目次

夜勤パニックの巻　5
特別編!!下町散歩シリーズ①(日暮里《にっぽり》)
下町交番日記の巻　25
特別編!!下町散歩シリーズ②(上野《うえの》・根津《ねず》)
50年目のロマンスの巻　45
超記憶術増進法!の巻　65
夢の珍発明!P.C.《ペーパークラフト》カメラの巻　85
アスレチックGUN《ガン》マンレース!!の巻　105
夢のふぐ忘年会!の巻　125
東京《とうきょう》土地なし派出所の巻　145
佃《つくだ》のじいちゃん大追跡!の巻　165
お正月は駄菓子屋で!の巻　185
ロボコップ両《りょう》さんの巻　205
高給優遇!空飛ぶタコ配便の巻　225
わが町・上野の巻　245
想像力漫画の巻　265
バイキング・ハード!!の巻　284
歯無しにならない話の巻　305
大江戸神輿《おおえどみこし》大騒動!!の巻　324
解説エッセイ——阿部　進　345

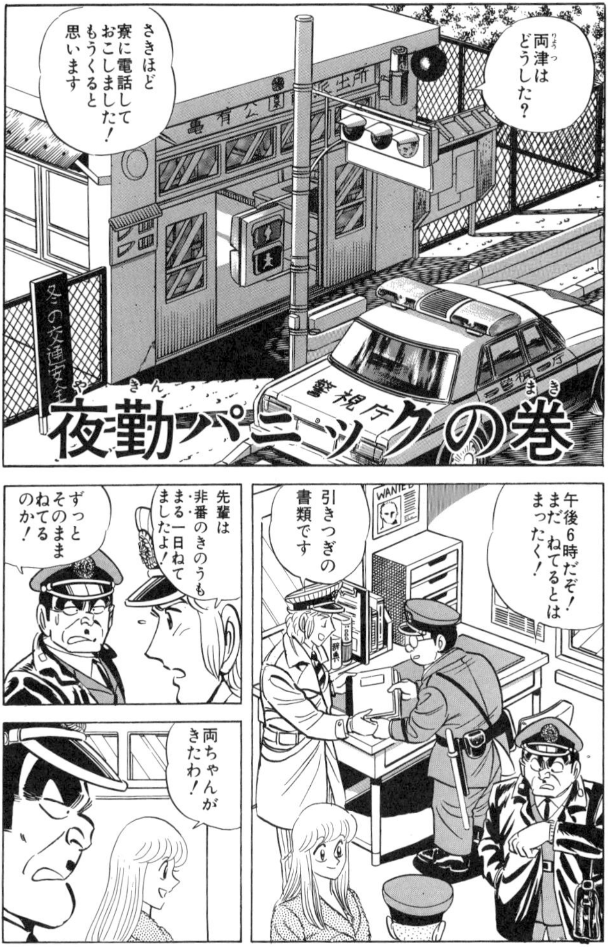

両津《りょうつ》はどうした?
さきほど寮に電話しておこしました! もうくると思います
冬の交通安全
警視庁
夜《や》勤《きん》パニックの巻《まき》
午後6時だぞ! まだ ねてるとは まったく!
引きつぎの書類です
先輩は非番のきのうもまる一日ねてましたよ!
ずっとそのままねてるのか!
両ちゃんがきたわ!

いやあ まいった まいった
はっ
はっ
はっ
きゃあ
引きつぎに おくれて すいません! ちょっと ねぼう しちゃって!
今日 夜勤 だから ねだめを してまして
42時間も ねだめを するんじゃ ない!
いたた たた
グイ
どうして その事実を 知ってるん ですか?
お前の 行動など つつぬけだ!
火事の季節 だから パトロールを しっかりと するんだぞ
はい 部長
麗子《れいこ》!夜食の ラーメンを 買っといて くれたか?
ええ 台所に おいといたわ

ストーブを修理にだしてるので今夜はストーブはないからな
えっ ストーブがないんですか!!
明日にはなおる一晩だけがまんしろ!
夜が一番さむいんですよ部長!!
かわいい署員がカゼひいたらどうするんです
お前などはだかでヒマラヤに登山してもカゼをひかん!大丈夫だ!
くく…なんてことを…
先輩にかなうビールスはいませんよ!
おおきなおせわだ!さっさと帰れ!
じゃああとはたのむぞ
はい!おつかれ様です

じょうだんじゃねえよ! 電気ストーブくらい かわりにおいとけよ!
今夜は かなり冷えこみそうだぞ
いけね! 拳銃わすれた!
寮に銃をもちこんでるのかよ!? 両津!
あわててきたからテレビの上においてきた!
寺井《てらい》 お前の拳銃を今夜だけかしてくれ
え!?
お前なんか一生使わないんだから いいだろ!
いやあ… でもまずいよ!
どうせ「ネコに小判《こばん》」だろうが! わしの場合は「オニに金棒《かなぼう》」になるんだよ
…丸ごし というのも不安だよ
わかったよ わしがお前の銃を作ってやる

できた！
寺井用
ニューナンブ
M60
ひゃあ
お前は これで
じゅうぶん！
ホルスターに
カバーがついてる
から ぜったい
わからないよ
そうかなぁ
ヒョオ
オ
オ
へっくしょん！
12時を回ると
さすがに
冷えてきたな

寺井！夜食にしようぜ！ラーメン作ってくれよ！
えっ今!?ちょっとまってよ！今 報告書まとめてるから
ガタ
ガタ
ガタ
そんなもんあとにしろよ！
そうだよまったく！
しかし…
わしがかわりにやっといてやるから
こまかい字でていねいに書いてるな
こんなもんてきとうにうめときゃいいのに！
辞書まで引いて漢字になおしてやがるバカじゃないかあいつっ！
報告書なんてもんはフィーリングで書けばいいんだよ
小学校の学級日誌みたいなもんだよ
スラ
スラ
何ひとつ変わったことはありません。《まる》……と

両さん
ラーメンが
ないよ
そんな
はずは
ない！
ほら！
やきそば
ばかり
あっ
麗子のやつ
カップラーメンと
カップヤキソバ
まちがえて
買いやがったな
形は
同じだ
からね
しかたない
やきそばで
いいよ
作り方が
わから
ないよ
高級料理には
やかましい
くせに！
カップラーメンに
対しては
無とんちゃく
なんだから！
同じだよ
お湯入れて
すてりゃ
いいんだ
なれてる
両さんの
方が…
けっきょく
わしが3人分
作るわけかよ
くそ！
わしは
カップメン
作りの
プロじゃ
ないんだぞ
こうやって
お湯をすてる
だけなのに…
ザー

あっ
ズルッ
しまった
まて!
こら!
あっ
落ちた!
スポ
見てないな…
よし…
もったいないから
今の麺《めん》を
使おう!
あいつらなら
わかりゃしないだろ
たぶん
排水パイプを
通ったから
色が黒いな…
うーーむ
これじゃうたがわれるな!
もったいないが
あれはパスだ!
もうひとつ
作ろう
けっこう
お湯をすてる
テクニックが
いるな!
あちち!
火の用心!!

あっ！
スルッ
おっとよし！
あちち
今度はつかまえた
パッ
カップの形状に問題があるぞ！お湯をすてやすく親切に設計したつもりだろうが全然親切じゃない！
欠陥《けっかん》商品だぞ！こりゃあ
あついから水で麺を冷してから作ろう！
ザー
なんか冷し中華みたいだな！
両津このやきそば冷えてるぞ
いいんだよ冷しヤキソバっていう品物なんだから！
よけいさむくなってきた

しまった!
負けた!
なんで「2」なんかで勝てるんだよちくしょう!
90%《パーセント》勝つと思ってたのに!!
しかたない負けたからパトロールにいくか!
勝負度胸ないくせにこういう時に勝ちやがって!
午前2時の今ごろがゆうれいがでるころだぞ一番
おおどかすなよ両さん
帰りにスーパーで使いすてカイロを買ってこよう
そりゃいいアイデアだ

24
コンビニエンスな雑か
24時間営業
おお！中はあったかい
いらっしゃい
カイロと食料買ってくる
おうたのむぞ！
OODS
夜中だってのにけっこう客が入ってるな
こらこら青少年がこんな遅くまであそんでちゃいかんぞ！
早く帰ってねなさい！

夜中の2時だというのに…まったく!
近ごろの親はどういう教育しているんだ!
なんだ?おげれつビデオとエロ本ばかりじゃないか!
すさまじいコーナーだなここは!!
1800円
エロエロ
エロガッパ
エロ本のすき間に小学生の絵本がある
ならべ方がメチャクチャだな!
小学生
おげれつ
白雪姫
よい子
よい子の桃太郎
エロ白身
週刊エロガッパ
夜明けまでまだ間があるから漫画を買っていこう!
JUMP
両津!もういいか?会計するぞ
漫画2さつ入れてくれ!
弁当
PUSH
酒も2本…あいた
ゴッ

酒なんて買ってないだろうが！
これは・ミ・ネ・ラ・ル・ウォーター・だぞ！
いてて！
これは「水」ですよねマスター？
そ そうですね たぶん…水だと思います
勤務中に酒を買ったと思われるだろ！まったく！
民間人の前でごかいをまねくようなこというんじゃない！
酒は自動販売機で買え！バカ!!
すまん！
うおっさむい
さむくてたまらん！ちょっとミネラルウォーターをのもう
カイロも使うか！

中と外から同時にあたたまってきた!
とはいえやはりさむい!
あ?
粗大ゴミ置場
なんだ? 両津
電気ストーブがすててあるぞ
型《かた》は古いがまだ使えそうだ!
こっちのもストーブだぞ!
けっこうあるな
これもそうだ!

これ全部ひろってきたのかい？
これだけあれば能力の弱い電気ストーブでもあたたまる
あぶないよこんなにいっぺんに！
大丈夫だよちゃんと動くから
でもこわれてすてた品もあるからあぶない…
やかましい！
派出所に代理のストーブもわたさん署にもんくいえ！
こうなりゃ自給自足でやるしかないだろ！
見ろこのパワー100アンペアの派出所だからできる芸当だ
さすがだ！あたたかくなってきた！
ゴゴゴゴ

これで どんな寒波がこようとこわくはない!
さすが両津だ!
あっ煙が!!
火事になる! 早く消火器を!!
大丈夫だ あれはホコリが焦げてるだけだ!
ガ
あっバカ
ガ
石油
ボオオオ
うおっ
本当に火事だ!!

大変だ！うわあ～
うろたえるんじゃない！
こういう時にわしの始末書を処分する！
バサ
バサ
勤務評定など証拠を湮滅《いんめつ》するにはもってこいの機会だろうが！
早く消さないと大変だよ
メラ
メラ
さわぐんじゃない！気の小さいやつだ！
このくらいほんのたき火だろうが！
わってしまった部長のちゃわんも湮滅してしまおう
ポイ
ひれつな男だ！
全部もえたのを見はからってこうして消せばいいんだよ
こんなもん落ちついて消せば1分で消火できる
シュワワワ

見ろ！あっという間に消えた
ボヤでたすかったよ！
ウ〜〜〜
ピーポーピーポー
消防車がきた！
近所のやつが知らせやがったな
両津！戸だなからこんなものがでてきたぞ
あっそれは！
わしが卒拝《そつはい》した時からの20数年分の始末書だ…
部長めこんな所にかくしておいたとは…
さっきならもやせたのに…
今からでも間に合う焼却してしまおう
おい両津！
ダッ
やはりこの派出所か！
あっ部長
コンビニエンスストアーで酒を買った警官がいたときいてな不吉な予感がしたんだ！
やってきたらこのありさまか！

かんじんの両津の姿が…
ん?
もえろもえろ!全部もえてしまえ!
これできれいさっぱり身が軽くなった!
この灰《はい》をそ——っとボヤの現場へはこんで…
げっ
ぶ…部長見ていたんですか?
しっかりとな!
お前の始末書はいっきに3倍の5.000まいにしてやる!これで現役警官の始末書の数は世界一だぞ明日にでもギネスに申請してやる
いやぁ…そんなに気を使っていただかなくてけっこうですよ………まいったな…は…は…

★週刊少年ジャンプ1988年53号

特別《とくべつ》編!! 下町散歩《さんぽ》シリーズ①(日暮里《にっぽり》)
下町交番日記の巻《まき》
西亀有二丁目7

えっ 上野《うえの》の 下谷《したや》第五派出所に 補欠要員で いくんですか!?
そうだ 署員6人のうち 5人がカゼで 入院してしまった
そこで ほかの署で 上野の地理にくわしく からだが丈夫で ぜったいカゼを ひかない警察官!
そいつを さがした 結果…
お前しか いないとの 結論がでた!!
それで部長 朝から機嫌《きげん》が よかったのか! まいったな!
えらばれての 出向《しゅっこう》警官よ すごいわよ!
先輩 ここは昭和《しょうわ》じゃ なくて平成《へいせい》ですよ
いけねっ また まちがえた
これは やらんで いい!
あっ

これで お前のにもつ 全部だ!!
むこうの 班長に よろしくな
ちょっと まって くださいよ! まさか 今から いくんじゃ…
今日の3時に 日暮里駅《にっぽりえき》の 東口で 下谷第五派出所の 班長が まっている…
まってるって… その… 私は その班長を 見たことないんですよ!
むこうに お前の特徴を 知らせておいた お前は出口で 立ってればいいんだ
公務員の 人権無視だ! ぜったいに うったえてやる
ぽり ぽり
かわいそうに…
昔から "かわいい子は 千尋《せんじん》の谷に たたき落とせ"と いうからな
たしかに 先輩はどこへ 落としても はいあがって きますからね

日暮里
日暮里
常磐線《じょうばんせん》・京成線《けいせいせん》に
お乗りかえの方は
中央 青い階段を
ご利用ください
京浜東北・根岸線
上野・東京・品川
横浜・磯子 方面
快速 運転中
山手線
上野・東京・品
五反田 方面
ガヤ
ガヤ
ガヤ
高田文夫
COME BACK
おぴょ
ちくしょう
元年早《がんねん》そう
こんな目にあうとは
思わなかったよ
山手線《やまのてせん》
外回り
発車します
それにしても
全然変わって
ないな
この駅は!
色をぬり変えて
ごまかしてるが
相変わらず
きたない

オート
おっ
新幹線《しんかんせん》が地下へもぐっていった!!
ゴオオオオ
ガタン
ガタン
ガタン
そういえば上野駅から新幹線が発着してるんだっけな!
EXIT
西口
上野駅も新しくどでかい駅ビルにするってさわいでたな
これも時代の流れか…
そうなるとますます日暮里駅やとなりの鶯谷駅《うぐいすだにえき》なんかが浮いちまうぞ
山手線の中で一番ボロっちい駅になるな…
にっぽり

胴長短足《どうながたんそく》ガニ股《また》
全身毛むくじゃら野性的でこわい物知らず
日暮里駅
本当に警察官なんですか!?この人?
胴長、短足、ガニ又、野性的、全身毛むくじゃら、
こわい物知らず。
目がギラギラ
角がり
まゆもがつながってる
ばか力がある。
骨太でごつい体。
冬でも裸足
サンダルばき
ひょっとして本庁を爆破したり始末書500枚以上書いたというあの人ですか?
そうだ葛飾署《かつしかしょ》からうちの派出所に臨時勤務でくる
両津勘吉《かんきち》という巡査長《じゅんさちょう》だ!
名前はきいたことがありますね

それで班長が わざわざ むかえに きたのですか
3時に東口で まち合わせたのだが…まだこない
上の出口で まってるのかも しれませんよ 東口の出口はふたつ ありますから
ちょっと 見てくるか
おや 牛車《ぎゅうしゃ》とは のどかだな
ガラ ガラ
ンモー
珍しい ですね
ブーン
ブーン
ブーン
スポッ
モモ〜〜
オイイイン
どうした 太郎《たろう》!?
ダッ

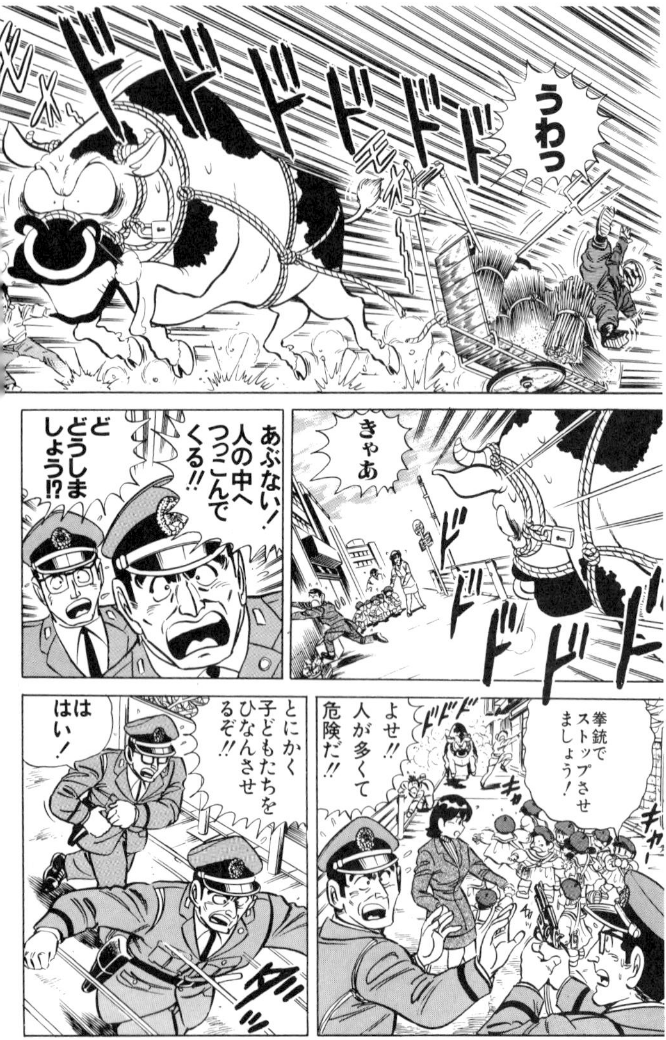
ドドドドドド
うわっ
きゃあ
ドドドドド
あぶない! 人の中へつっこんでくる!!
ど どうしましょう!?
拳銃でストップさせましょう!
キャー
よせ!! 人が多くて危険だ!!
ドドド
とにかく子どもたちをひなんさせるぞ!!
は はい!
ダッ

だれもむかえにきてないじゃないかまったく!
JR線のりば
京成線のりば
部長め! うそをついたな!
ん!?
早く階段の上ににげるんだ!!
キャー
キャー
うわきた
ドドド
うわっ
ドドドド
きゃあ
フー

きゃあ
こっちへ
くる!!
ドドドド
キャー
まずい!
階段を
登った!!
もう
間に合わ
ない!
ドサ
きゃっ!
ガッ
あぶないから
上の道路まで
にげていろ!
ンモ～～

どすこい!!!
おおっすごい!!
警官が牛を止めたぞ!!
班長もしかして…
ガヤガヤ
えっ!?
ぬぬぬぬっ……
グ
グ
力くらべなら負けんぞ……
メキ
角刈《かくが》りで…野性的で…バカ力の持ち主…
すると…あいつが…!!
メキ
ぬおおおおおっ
メキ

両津か!?
ぬお!
ズルッ
うおっ
ぎゃあああぁ

おいっ大丈夫か!?
あいててて なんて重い牛だ! くそ!
うちの太郎がめいわくかけまして
飼い主ならもっとちゃんとめんどうみろ!!
子どもたちをすくってくれてありがとうございました
間《かん》一髪《ぱつ》だったよ!
スリキズだらけだぞ両津
こんなもんなめときゃなおる!
え!? わしの名を知ってるあんたはだれ?
下谷第5派出所の班長 盤《ばん》五十六《いそろく》だ
いやあ会えてよかった! 両津ですよろしく!
就任早そうお手柄だったぞ両津!

本物を見たのは初めてですがうわさ通りの豪快な警官ですね
この男なら5人分のかわりになりそうだ
この派出所じゃないんですか？
下谷第五派出所はこっちだ！ついてこい！
このあたりの地理に明るいそうだな
実家が近いすからね20キロ以内は遊び場ですよ
両さんじゃないか？
しばらくぶりだな！
あっ
おやじさんか！いやぁ元気そうだな
元気がとりえだよははは…

なんだ知り合いか
中学の同級生の家なんですよ 昔 よく遊びにきてたんです
下町ブームで駄菓子が大繁盛じゃないのか!?
駄菓子屋自体が東京《とうきょう》じゃ少なくなっているからな!
このあたりは駅前だろ! 地上げもだんだん進んできているしな
となりも去年で営業をやめちまったよ
昭和30年ごろの駄菓子屋全盛のころは東京中からこの日暮里まで菓子を買いつけにきたものだがな
食品玩具問屋入口
食品玩具問屋入口
当時は駄菓子問屋が60軒以上もあった この一角も 今じゃ10軒たらずになってしまった…
うちだけは地上げがこようががんばって商売するつもりだけどな!
同業の仲間がへっていくというのは 実にさみしい!
元気だせよおやじさん
あんず2箱買っていこう! 今度 署の集会でまとめて買いにくるよ
すまないな両さん!
チーズスナック

われわれに土地を買う金があればなんとか救えるんですがね
わしらが一生はたらいてもムリだな!
ここが下谷第五派出所ですか!?
駐在所《ちゅうざいしょ》だなまるで
そうだ!
ワン
ありゃ犬が!?
犬も署員なんですか?班長?
まさか!
捨てネコや犬などをあずかってるうちにどんどんふえてきたんだ

外にはニワトリやウサギなどもいるぞ
まるで動物ランドですな!
コッ
コッ
コケーッ
さっそく両津はエサの担当になってくれ!
エサ一覧表
朝6時
ニワトリ・十姉妹
インコ・カラス
朝10時・イヌ
ヘビ・タヌキ
午後1時
カメ・ムササビ
ラクダ
トド
ハラがへってきたんですがかんじんのわしらのエサはどうなってるんです?
ちゃんと用意してある
盤さん!今夜はおでんなんですがよかったらどうぞ
田中《たなか》さんいつもすみませんね
子どもがいつもせわになってますからね!うさぎ屋の和菓子もいっしょに!
いやあ申しわけない!
近所からのもらい物でいつもいっぱいだ
たべ物には不自由しないな

太郎《たろう》! 次郎《じろう》! 帰るぞ!
はーい
兄弟が多くてよく派出所にTV《テレビ》ゲームをしにくるんだ
昔は交番をこわがったもんだがな!
おや!? 銀《ぎん》さんとこのせ・が・れじゃないか
あっ 仲見世《なかみせ》の呉服屋《ごふくや》のばあさん!
交通マナーを守り
キキッ
上野の勤務になったのかい?
ちがうよ 臨時できてるんだよ
そうかい さっそく銀さんに知らせなきゃ
よけいなことをするんじゃない!!
せっかくだからもなか少しおいてくよ! これはすごくおいしいんだよ
あまい物はニガ手なのに
まずいな… よく考えたら顔見知りが多いんだよな このあたりは!
知り合いが多いとヘタに行動できんぞ!

私も下谷生まれだ
知り合いばかりだよ
まるで自宅で
勤務してるような
気分だ
とんでもない
派出所に
きちまったよ
えっ!?
まだ朝5時
ですよ!!
ふあ～
犬の散歩だ
それが終了
してから
エサを作れ!
わしはネコを
フロに入れる
ネコ用トイレ
こんなに
早朝
から…
これが警察の仕事
とは思えんよ!
まるで動物の
飼育係だな!
署員が
体こわして
入院したのが
わかる気が
してきたよ!
ワン
ワン
ワン
ワン

★週刊少年ジャンプ1989年11号

特別編《とくべつへん》!! 下町散歩《さんぽ》シリーズ②（上野《うえの》・根津《ねづ》）

50年目のロマンスの巻《まき》

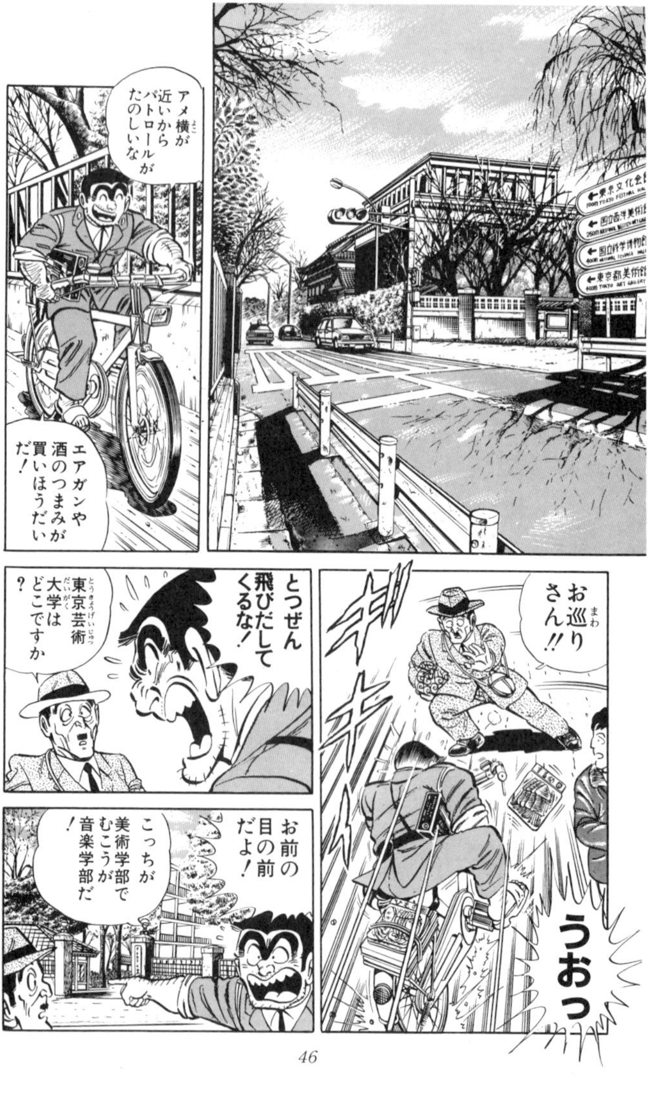
アメ横《よこ》が近いからパトロールがたのしいな
エアガンや酒のつまみが買いほうだいだ!
お巡《まわ》りさん!!
うおっ
とつぜん飛びだしてくるな!
東京芸術《とうきょうげいじゅつ》大学《だいがく》はどこですか?
お前の目の前だよ!
こっちが美術学部でむこうが音楽学部だ!

本当に上野は地理案内が多いな これで20件目だよ!
人手不足で下谷第五派出所勤務にされたのもわかる気がする
あいた!
あっ
警官か!ちょうどよかった!
ちっともよかないよ
道をたずねたいんだが
ちぇっまたかよ!今度はどこだ!
ここじゃまずいから上野公園の方に!
おい!おい!
どこだっていいだろ!
東京藝術大學
どこにもいないぞ!
まいったなもう講演が始まるというのに…

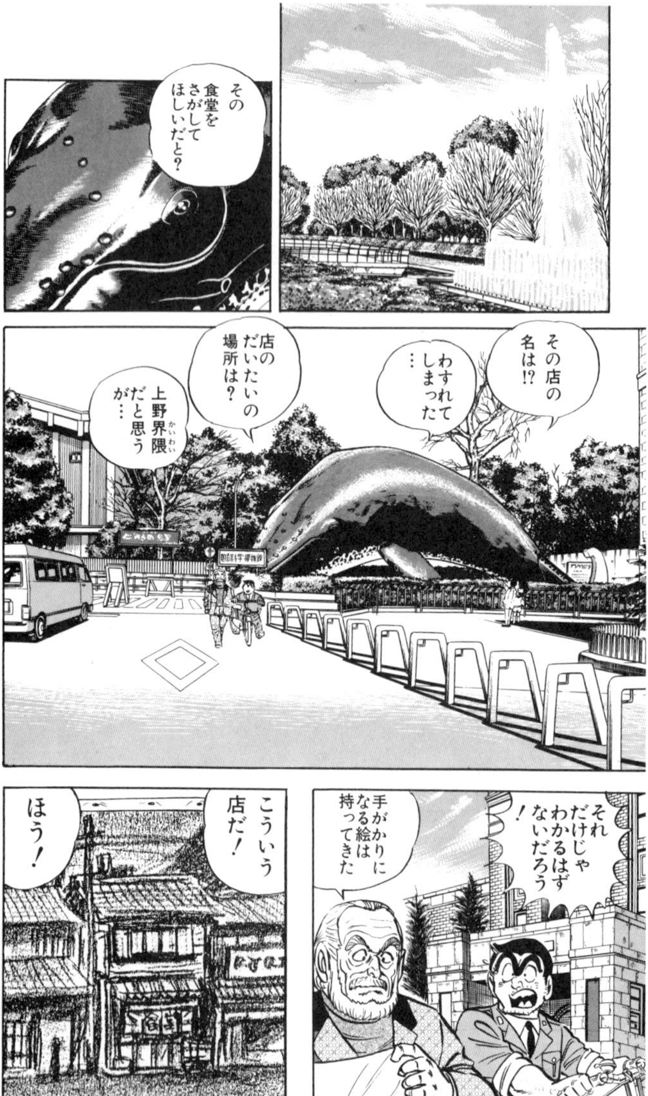

その食堂をさがしてほしいだと？
その店の名は!?
わすれてしまった…
店のだいたいの場所は？
上野界隈《かいわい》だと思うが…
それだけじゃわかるはずないだろう！
手がかりになる絵は持ってきた
こういう店だ！
ほう！

ヘタな絵だ タッチが荒くて よくわからんな
古い絵だ 私が学生のころ 描《か》いたものだ
昭和15年 ごろかな…
そんなもん 手がかりに なるか!!
古すぎる ぞ!!
やはり だめか…
あまりにも 時がたち すぎた…
ムリをいって すまなかった
おい ちょっと まてよ!
なんとか力に なってやるよ! さがしてみよう!
しかし… 上野あたりの どこにでも ある風景だ からな… う——む
私が美校《びこう》の学生の ころ 2 3回 いった店なんだ
友人に つれられて いったので 場所も全然 わからん
いく時 線路を こえた記憶は あるか?
いや ない!

芸大《げいだい》からなん分くらいかかった?
15分くらいあるいたと思う細い路地をなん度も通って
じいさん自転車の後ろに乗れ!
えっ場所がわかったのか!?
ガタ
山手線の内側で15分圏内ってえと谷中か根津だよ!
その絵とあんたの記憶をたよりにその町内をしらみつぶしに回ってみよう!
BEER!

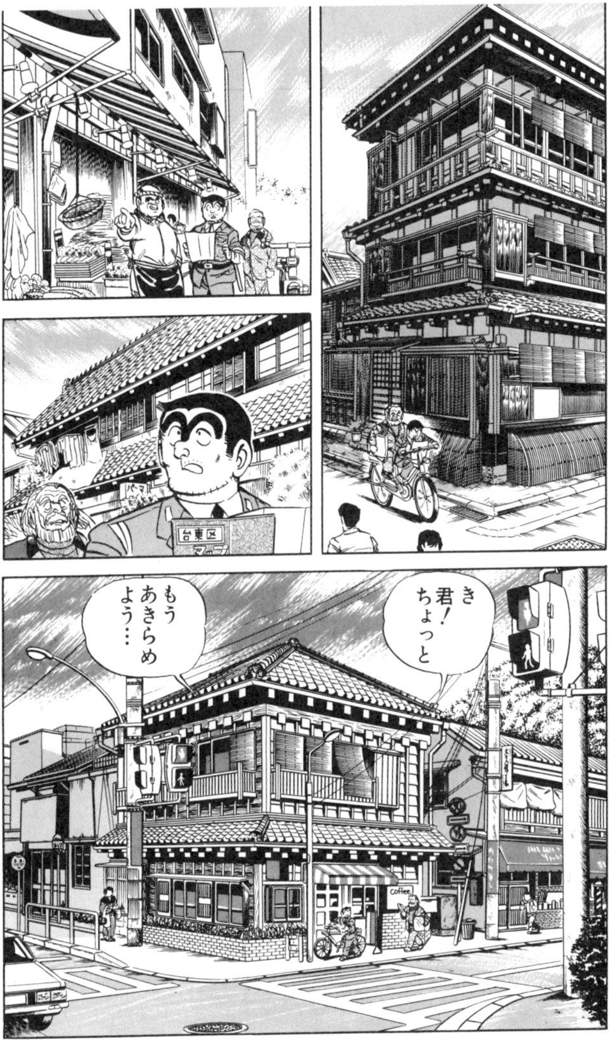
台東区
パーマ
き君！ちょっと
もうあきらめよう…
coffee

もう時間もないし…これ以上はムリだ…
なんか用事があるのかよ
49年ぶりに日本に帰ってきたんだ実は!
わざわざ店をさがしにか!?
……そうかもしれんな今回の帰国は……
巴里《パリ》になん十年も住んでいるが近ごろ よく日本のことを思いだしてな…
それも夢多き美術学校時代の学生のころを……よき友にかこまれ一日中 油絵を描いていた
まさに上野は芸術の森だ美術館に毎日足をはこび 友と芸術論をかわした
そのころ友につれられていった 食堂の娘さんにひと目ぼれしてしまってなまさに初恋だ
卒業と同時に私は巴里へわたってしまった
もう遠い昔の話だ…
場所さえ記憶にない…

なるほど
そういう理由
だったのか！
よけい見つけて
やりたいが…
このあたりも
戦災や地上げで
街並みが
変わっちまったし
……
石戸谷
あっ
あの木
か！
え!?
あの巨大な木は
わしの知ってる
寺の木だ！
この
黒いのは
あの木を
描いて
るんだ!!
なん百年も立ってる
木の場所は
変わらん！
あれがかさなって
見える位置は…
そうか！
わかった
ぞ!!
バサ
じいさん
あきらめる
のは
まだ
早い！
さあ
出発!!

あった!
あの店だ!!
思いだしたたしかにあの食堂だ!
やったな!とうとう見つけたぞ!!
さっそくたずねてみよう!
ちょっとまってくれ!
たしかにもっともだお前のことなどわすれてるかもしれん
わしがちょっときいてくる
むこうも家庭持ちだろうしとつぜんたずねていくというのは…

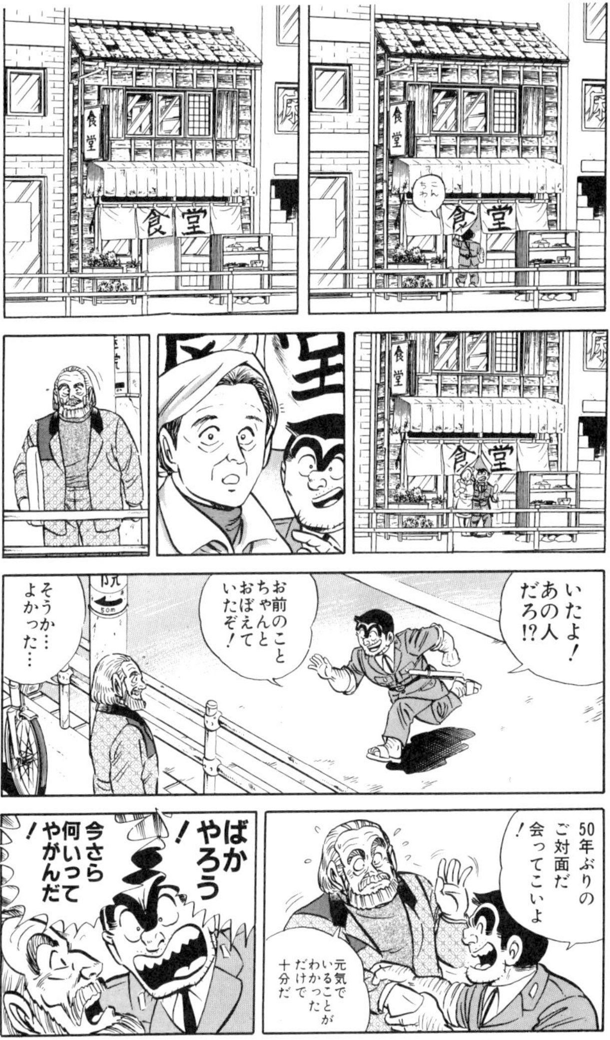

食堂
食堂
こんちわ!
いたよ! あの人だろ!?
お前のことちゃんとおぼえていたぞ!
そうか… よかった…
50年ぶりのご対面だ会ってこいよ!
元気でいることがわかっただけで十分だ
ばかやろう!
今さら何いってやがんだ!

病院
こっちだって一所懸命さがしたんだぞ！
このまま帰られてたまるかよ！さっさといけ!!
グイ
グイ
……
……
あの年になっても照れちまうんだからな
男はいくつになってもガキみたいなもんだな
ガタン
さあて…とわしは退散するかな！
ゴクゴク
君帰ろうか！

なんだよ！もういいのかよ！
おかげでいい思い出ができた…
日本にきて本当によかったよ
中華軒
おかみさん！だれですか今の人は？
昔 美校の学生さんだった方よ
今はずっとパリで暮らしてるんですって
へえ！それはすごいな
jotaro.T.
画家の滝城太郎《たきじょうたろう》だと!?

全然知らん！見たこともきいたこともない！
じいさんもいちおうプロの画家なのか？ふーーーん
絵が売れるようになったらわしが一枚くらい買ってやるからな！
今日は本当にせわになったありがとう
おっといけねえ
もうこんな時間か！
中田時計
販売
修理
わしは派出所にもどるよ！じゃあな！
君の勤務先の派出所はどこかね
下谷第五派出所の両津だ
縁があったらまた逢《あ》おう
吉田屋本店

その お巡りさんは どこに いるんです？
ガヤ ガヤ
パトロール 中なんだ
あっ
あの 警官だ！
ありゃ!? 何か あったんですか？ 班長!?
パシャッ
両津！
原因は お前だ!!
パシャ
上野で エアガン買って 今さっき パチンコして 景品もらって きただけですよ
いつから それが 犯罪になった んです!?
お前 画家の 滝城太郎先生に 会ったのか？
パシャ
滝!? ああ あいつね！ 会いまし たよ！

さっき本人がわざわざ絵をとどけてくださったんだ! お前へのプレゼントだと!
なんだって!
ガヤ
ガヤ
なんでも「お礼」だといってたが… 身におぼえあるのか?
パシャ
いや… その…
あのじいさん気つかいやがって!
「お礼」とはどういうことですか!
何があったんですか!?
ドドド
平巡査《ひらじゅんさ》と滝画伯《たきがはく》との関係は?
絵の前でポーズをとってください!!
ドヤドヤ
なんなんだきさまらは!?
あっちへいってろじゃまだ!!

帰らねえと水ぶっかけるぞてめえら！
うわっ
ダッ
ひゃあ
にげろ!!!
何がどうなったんだ！
あとでゆっくり説明しますよ
ゴォーーン
パリ在住の洋画家の巨匠・滝城太郎画伯が49年ぶりに帰国しました
滝城太郎個展
大手スポンサーが画伯の個展に招待したもので滞在もわずか3日間という過密スケジュールです
また今日母校である芸大での講演を中止するというハプニングがあり
講堂に集まった後輩たちもざんねんな表情をしていました
滝画伯の帰国で外国からのマスコミも多く来日し…
NHK
なるほどそうだったのか…
でもそんな大先生とは知らなかったな

おそらくスケジュールにむりやり講演を入れて ぬけだす計画だったんじゃないかな!
まるでローマの休日《きゅうじつ》みたいな話だな
ところでその絵はどうするんだ?
派出所にかざっときましょうよ
署にまで一億で売ってほしいと画商から問い合わせがきてるそうだぞ
ゴクリ
じいさんの心意気でくれた物だから売るわけにゃいかんでしょ
やっぱし!
てめえらそんな所で何してんだ!!
ザザ
ザサ
うわっ見つかった!
にげろ

まったく とんでもねえ マスコミ野郎だ！ ゴキブリみたいに ひそんでやがった！
うーむ とうぶんは 今まで通りに 勤務はできなくなるな
平成元年
滝画伯の油絵所有
問い合わせに大あわて。
両津(所有者)巡査長は語る。
『絵は売らない！』
両津氏
派出所に いなくても 先輩の行動が すぐわかる というのが おそろしい ですね
目の色変えて すぐ売らない所を 見ると… ほんの少し成長が 見えたようだ 大人に1センチ 近づいたよ！
今年の冬も暖冬か!?

★週刊少年ジャンプ1989年12号

超《ちょう》記《き》憶《おく》術《じゅつ》増《ぞう》進《しん》法《ほう》！の巻《まき》

これだ!
あ!!
それはクイーンですよ
ざんねんながら
キングは
こちら!
あーあ
せっかくの
チャンス
だったのに!
また
ごっそり
持っていかれ
ちゃうな
きたないぞ!
お前ばかり
とりやがって
!!
圭《けい》ちゃんは
記憶力が
いいのよ
両ちゃんも
ちゃんと
おぼえて!
くそ!!

「神経衰弱《しんけいすいじゃく》」ってゲームは本当に頭が衰弱してくるな!
えーとあそこが「5」で…そこが「8」で……
これが「5」でいただき
あっこら!
それはわしがおぼえてたカードだぞ!!
かってに持っていくんじゃない!
くわっ
ひとつくらいいいじゃない
なに
きさまも一度負けて洗濯ばさみを顔につけてみろ!!
高飛車《たかびしゃ》な態度でものをいいやがって!!
きゃあ!!
かけひきの勝負なら負けないいんだが…
これはほとんど記憶力のみだからな
じーっ
手前が「6」でとなりが「8」で…
手前6で… 12が…8で… 7… 12が…4で… ぶつ ぶつ
先輩の番ですよ

なに!? ほとんどのこってるじゃないか!
みんなハズレでした
やった! 逆転のチャンス!!
わははは
ここで飛躍するぞ!!
もう少し小さな声でしゃべってくださいよ!
うるさい! 話しかけるんじゃない!
せっかくおぼえたのをわすれるだろうが!
まずは「6」だ!
あっ当たった!!
がははは
どうだこの記憶力!
まずは手堅く進める
もう一枚の「6」はこれだ!
げっ「8」!?

「6」はとなりですよ 自分でさっき 独《ひと》り言 いってたのに…
あーあ
また中川《なかがわ》さんに とられるよ
いかん いかん
頭に血がのぼり 記憶回路が ショートして きたぞ!
コンコン
あっ何 するんだ!?
ザッ
ザッ
ザッ
カードが少なく なってきたから バラバラに するんですよ
せっかく おぼえたのに くそ〜〜
あ〜ん はずれ ちゃった
おしい!
いよいよ きたぞ! ラスト チャンス!!
のこるは 二組 だけだ!!
当たる確率 1/3!! 記憶ではなく 勝負師の 勘の見せ所だ

これがエースだ!!
ぐばっ
また先輩のパーフェクト負けだ!
とうとう運からも見はなされたわね!
この勝負おあずけ!!
きゃあ!!
ばんっ
ゴン
中川 麗子 お前らはずるいぞ! 記憶のいい頭しやがって!
わしだって その気になれば52枚 全部おぼえられるぞ!!
かならずや頭をパワーアップして お前らを負かしてやる おぼえてろ!
ゲームでもすぐ本気でおこるからなぁ先輩は!
どうやって頭をパワーアップするのかしら?

つい いきおいで 飛び出してきたが どうしよう…
キーコ
キーコ
ギャッ
ギャ
どうやって 記憶力をつけりゃ いいんだ!
タンカ切って 飛び出した 手前 このままじゃ 帰れんし…
ん!?
山田夘吾作の
記憶力教室
グングンおぼえる
小林ビル5F
これだ!
記憶力教室
透視能力教室
麻雀ロン
ローンズ
岩崎
人間 死ぬまでに 脳を全部は 使っておらん!
実に もったいない
山田夘吾作
記憶力教室
脳のしくみ
大脳と小脳の違い
その眠れる脳を おこし 記憶回路を ジャンジャン ふやす!
それがこの エレキテル 記憶法だ!

体に電気ショックをあたえて眠れる脳をおこしてあげよう
本当に記憶力がよくなるのか?
バッ
見なさいこの記事!!
昭和42年
週刊お下品自慢 40号
今話題の教室!
岩手県のAさん(68)
山田多吾作氏のエレキテル記憶法でよくなったと、よろこぶAさん
このようにちゃんと成功例がある!
昭和《しょうわ》42年の記事だぞ古すぎる
記憶力がいっぺんに消えるような気がするな…
大丈夫!私を信じなさい
ガチャ
この数字をまず記憶《きおく》しなさい
3817…か!う——む……
3817290497
しっかりおぼえたか?
38172…
497か…よし!
ぷっぷっぷっ

よし はじめろ
ふんぎゃ!!
ビビビビ
数字をいってみろ
今のショックで全部わすれちまったよ
しかたない もう一度よくおぼえて
えと…3817…
3817290497
よし!
ひえっ
ビビビ
数字は?
えーと 318…
729…
1…いや! 0かな
もう少し電気を!
びぎゃあ
ビビビ
パカー
つづきをいいなさい
7290…
4…いや 6…え――と
ぜい ぜい
ぜい ぜい

もっと電圧を上げるか
びゃんぱらび
904…
ラスト97だ！
ぜ 全部いったぞ！おいっ!!
見なさい効果があるだろ！
これじゃまるで拷問《ごうもん》だぞ!!
ぜい
ぜい
ぜい
はあ
はあ
ちがう！エレキテル記憶法だ！成功例を見なさい
そのA《エー》さんは本当にいるのか？
3576…
5だはやく止めろ!!
よろしい！
はいおまけ
ひやぽぽぽ〜
君にはエレキテル記憶法が体質的に合わんようだな
こんなもん合うやつがいるか！
脳細胞がメチャクチャになるぞ！

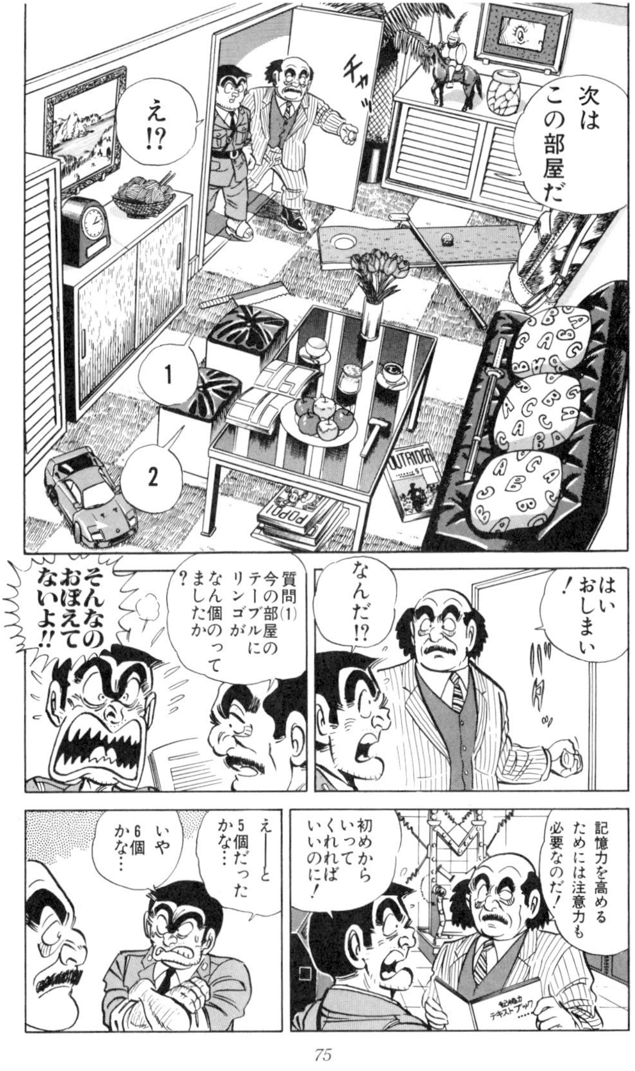

次はこの部屋だ
チャッ
え!?
1
2
OUTRIDER
POPOI
はいおしまい!
なんだ!?
質問(1)今の部屋のテーブルにリンゴがなん個のってましたか?
そんなのおぼえてないよ!!
記憶力を高めるためには注意力も必要なのだ!
初めからいってくれればいいのに!
記憶力テキストブック
え——と5個だったかな…
いや6個かな…

もう一度電気ショックで記憶を…
5個だ!5個!!
グイ
質問(2)サイドボードにある騎士の人形の頭についている羽の数は?
そんな細かい所までおぼえられるはずないだろ!
じゃもう一度だけ見なさい!
花は10本で…
コーヒーカップは2個…
それでは質問(3)
ぶつぶつぶつ
時計は3時30分で…
ソファーが茶色でじゅうたんが緑で…
絵が2点イスが5個…
このビルはなん階建《だ》て!?
こら!そんなのずるいぞ!!!
やはり電気ショックで記憶をよびおこそう!
入ってくる時しっかり見てるはずだ
え———と5階か6階だと思ったが…
記憶がよみがえった!5階だ!
電気など必要ない!5階だって!!

6階でなく5階でいいんだな!
いや!
6階かな! うん!
人の目を見てコロコロ変わるな! やはり電気ショックを…
ダイ
わしが悪かった! もうカンベンしてくれ!
君は私が開発した用品で毎日きたえた方がいい
山田多吾作先生
TV放映中
スーパー記憶力倍増グッズ
(税金は含まれておりません)
アメリカで大フィーバー
スーパーはちまき
記憶力メガネ
メモリーハット
スーパーメモリーパンツ
記憶ペンダント
記憶サンダル
記憶アレイ
メモリートランプ
記憶ボール
スーパーヌンチャク
ずいぶんいろんなのがあるんだな
記憶サンダル? なんだこりゃ!?
足にある記憶のツボを刺激して記憶をよくするものだ
この記憶倍増ちゃんちゃんこって効果あるのか?
内側に磁力のシートがはってあり着てるだけで記憶力がアップする
記憶
うそだと思うなら全部身につけて実験してみなさい
10桁《けた》の数字も1秒見ただけですぐ頭に入る
本当だろうな
記憶カード

はい!
バッ
1234567890
もうやめた!わしは帰る!!
あっ君!
どこが記憶倍増だ!まったく!
とんだ時間つぶしだよ
かといってこのまま帰ったんじゃ元のままだ
う――むよわったな
ここで自分でおぼえてみよう!
う――む全然だめだ前より悪くなった…
さっきの電気ショックで頭がパアになったかな?
ぱっ
ダイヤのA《エース》!!!
JOKER

ん!?
透視能力教室
日本エスパー開発研究所
そうかあ トランプを 透視すりゃ いいんだ!
いちいち おぼえる 必要など なくなる!
渡《わた》りに舟《ふね》だ ラッキー!
今日は!
はい! いらっしゃい
お前は 記憶力の 教師だろうが!!
こちらが 本業だ
このビルで カルチャー教室を 5店も営業してる からな!
透視の秘訣
あんたの サイフには 一円も入って ない
うっ
よく わかったな
私には 見える! これが 透視能力と いうものだ!

エスパーカードを4種類机にならべる
うらにして好きなようにならべなさい
ようし!
左ハシから×△□○だ
全部当たった!
その透視の方法をトランプに使いたい!
教えてくれ!
ガーン
ぐふっ
透視力は訓練だ毎日一所懸命特訓すれば潜在能力が身につくはずだ!
はは――っまじめに特訓します
これで神経衰弱に勝てるぞ!やった!!
ペコ
ペコ
今見せた基本のカードの透視!
やってみなさい
全神経をこのカードに集中させる
ググッ
う~~~ぬこの一点に集めるんだ

くく…くだんだん気も遠くなってきた…
ボ〜
おっジワ〜〜〜と見えて…きた！
み見えたこれは△だ！
はぁはぁ
すばらしい！
実はこれ私の名刺でした！
今後ともよろしくね！
ペ
きさま!! バカにすんなはやくカードの透視を教えろ!!
わかったわかった！
簡単な透視法を教える!!
これがハートの「7」だ
あっ!!
負けた者は洗濯ばさみ！
ギュッ
あいた！

また私ひとりのパーフェクト勝ちだね！
わははは
本当に記憶力がよくなったわね
このメガネをかけてると記憶力がグングンよくなるんだすごいだろ
さあ昼休みも長いもう5 6回できるな！
まだやるの？
チャッ チャッ
当然だ今までのうらみをわすれるか!!
ずっとわしのひとり負けだったからな!!
強力な大型クリップもた――くさん用意してある
くくく
先輩が持ってきたカードに何か秘密があるのかな？
それとあのめがねもあやしいわ

ちょっとめがねをかして
あっこらっ
やめろ！
そのめがねは目に悪いぞやめろ！
何か見えた？
かけてごらんなさい！
あっ
偏光《へんこう》レンズで隠された数字がうかび上がってわかる
え？ほほんとかい？
ぼくには全然見えなかったよ
両津なんのマネだそれは？
いやあちょっと理由がありましてね
ロンドンでこういうファッションがはやってるんですよ！いてて…
ガチャ
ガチャ
ガチャ
ガチャ

★週刊少年ジャンプ1989年21号

夢《ゆめ》の珍発明《ちんはつめい》！
P.C.《ペーパークラフト》カメラの巻《まき》

私の好きなカメラ

オリンパス OM-2《オーエムツー》N《ニュー》

世界初のTTL《ティーティーエル》ダイレクト測光《そっこう》を実現した、小型軽量一眼《がん》レフカメラ。

小型であつかいやすく、システムが多いので、実にたのしいカメラである。

オリンパスOM-2N
＋
ズイコーズーム35〜70ミリ
オートフォーカス
＋
ワインダー2《ツー》
＋
M《エム》.インフォーカストリガーコード
＋
レコーデータバック2《ツー》
＋
接眼補助《せつがんほじょ》レンズ(−3)

《秋本治虫《アキモトオサム》仕様》

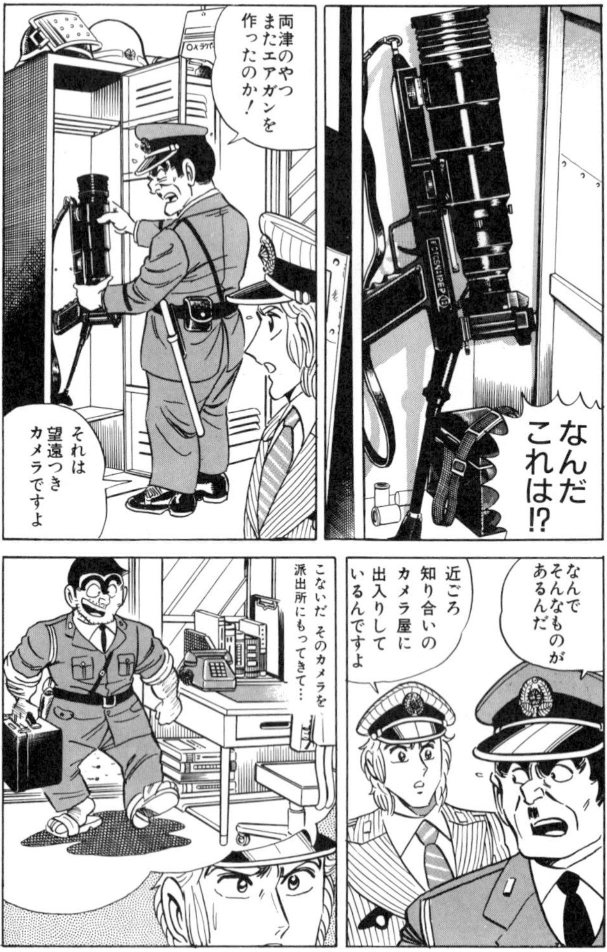
なんだこれは!?
両津のやつまたエアガンを作ったのか!
それは望遠つきカメラですよ
なんでそんなものがあるんだ
近ごろ知り合いのカメラ屋に出入りしているんですよ
こないだ そのカメラを派出所にもってきて…

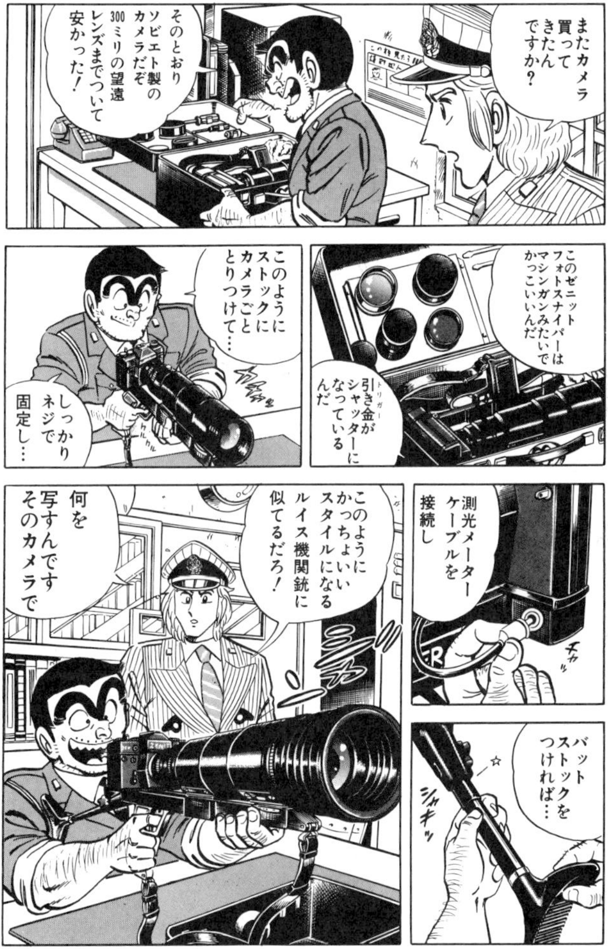

またカメラ買ってきたんですか?
そのとおり ソビエト製のカメラだぞ 300ミリの望遠レンズまでついて安かった!
このゼニット フォトスナイパーはマシンガンみたいでかっこいいんだ
引き金《トリガー》がシャッターになっているんだ
このようにストックにカメラごととりつけて…
しっかりネジで固定し…
クルクル
測光メーターケーブルを接続し
バットストックをつければ…
シャキッ
このようにかっちょいいスタイルになるルイス機関銃に似てるだろ!
何を写すんですそのカメラで

きまってるだろ アイドルを とるんだよ
えっ アイドル？
デパートの屋上などでカメラ小僧が集まってるだろ あれだよ！
後方からとるから どうしても望遠レンズがなくてはダメだ 300ミリとか500ミリのがな！
しかし望遠レンズは高い！ サンニッパとよばれる 300ミリF《エフ》2.8レンズなどは 40万円以上もする！
カシャッ
その点 これは メチャクチャ安い 標準レンズとカメラまでついて 数万円で買えてしまう
レンズはF《エフ》4.5と多少暗いけどな
カメラもシャッター速度が1/500までしかない！ レンズマウントも今や化石となったスクリュー式だ
20年くらい前のタイプですね
カメラの構造は今も昔も大差ない かんじんなのはカメラマンの腕だ
これでビシバシとってやる！
FOTOSNAIPER
日曜ごとに上野松坂屋《まつざかや》や読売《よみうり》ランドへでかけてましたよ
そうだったのか！
両津の机を見れば あいつの行動がすぐわかる
ガラ
あ!!

アイドルの生写真がこんなに…
あいつめ…仕事をさぼってこんなことを…
両津はどこだ!
さっき外へでかけていったけど…
部長! そろそろ署にもどりませんと…
わかった今いく
次から次へといろんなことを…帰ったらとっちめてやる!
緊急指名手配
両ちゃんもいい歳《とし》してまだアイドルを追っかけてるのね…
いやちがうよ! 売れて金になるからとってるだけだよ!
自動車
ははのんきだねっと
お前らそこで何をしてるんだ
いえべつに

ふたりしてヒソヒソ話しやがって！
あれ？
わしの机だれかいじらなかったか？
べつにだれもいじりませんよ！
ようし本当かどうかしらべてやる
あっ
そんな所にカメラを…
そのとおりこれはオリンパスOM《オーエム》30といってな無人撮影ができてしまうのだ！
3メートルにピントを合わせておけば3メートルの場所に何かが現れた時シャッターが切れる
ワインダーつきだからなんまいも自動でとれるわけだ
OLYMPUS
フィルムもリバーサルを使っているからなすぐ現像してやるぞ
そのためにわざわざリバーサル用現像セットを買っておいたんだからな
さらにまだある！
バッ

テープレコーダー!?
そのとおり!!
ボイスセンサーつきだから声がきこえた時だけ作動しだまると止まるすぐれ物だ!
君たちの会話はすべて録音されている
近ごろわしのいない時に悪口をいってる気がするからな
まっていろ!事実をすぐつきとめてやる!
あんな物がしかけてあったとは…
ひきょうな手ね
やはり!
35
部長がわしの机を見たな!
ちょっとだけですよ!

まあいい！もうアイドル生写真はやめたからな
え!?
制服で場内警備をよそおいアイドルたちに近づいたりジャーマネのふりして楽屋へ入って写真とっていたが…
顔をおぼえられてイベントのブラックリストにのってしまったもう超望遠で100メートルからとるしか方法がない
そのかわりもっといい商売を思いついたんだ
ちょっとカメラ屋へいってくるぞ
またとんでもないこと始める気かな
お金になるならなんでもとびつくものね
またカメラをセットしておかんとな！
写されるとめんどうだからカメラのスイッチを切っておこう
今何か音がしなかった!?
たしかにきこえたわ

あっ
ここにも無人カメラが！5メートルにセットしてある！
スイッチを切った場面をとられたわよきっと
動くたびあちこちでシャッター音がきこえる…かくしてあるんだろう
ぶきみね
マクロ商会
カメラ高く買います。美品多数有り。
キイッ
うおっす
ああ両さんか！

このフォトスナイパー下取りしてくれよ!
え!? こないだうちで買ったばかりじゃないか!
アイドル撮影はもう卒業したんだよ! だから必要なくなった!
勝手なんだからもう!
こないだ計画してた品物はできたか!
いちおう両さんの図面どおり作ってみたよ
こういう形になったけど…
おおっすばらしい!
このカメラなら若者に大ヒットするにちがいない!
売れるかな? 本当に
35mmAF《ミリオートフォーカス》35―60ミリズームつき二眼《がん》レフカメラ今ブームであるこのスペックで売れないはずがない!
二・眼レフというのがひっかかるよ

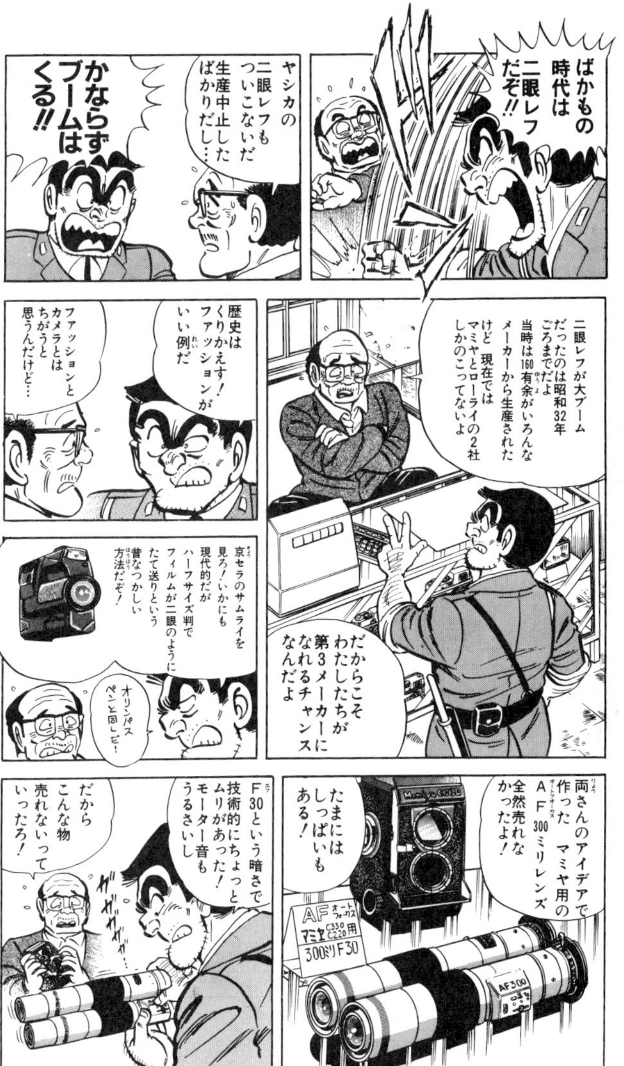

ばかもの時代は二眼レフだぞ!!
ヤシカの二眼レフもついこないだ生産中止したばかりだし…
かならずブームはくる!!
二眼レフが大ブームだったのは昭和32年ごろまでだよ
当時は160有余《ゆうよ》がいろんなメーカーから生産されたけど　現在ではマミヤとローライの2社しかのこってないよ
だからこそわたしたちが第3メーカーになれるチャンスなんだよ
歴史はくりかえす!ファッションがいい例《れい》だ
ファッションとカメラとはちがうと思うんだけど…
京《きょう》セラのサムライを見ろ!いかにも現代的だがハーフサイズ判でフィルムが二眼のようにたて送りという昔なつかしい方法《ほうほう》だぞ!
オリンパスペンと同じだ!
両《りょう》さんのアイデアで作った　マミヤ用のAF《オートフォーカス》300ミリレンズ全然売れなかったよ!
たまにはしっぱいもある!
AF オートフォーカス
マミヤ C330 C220用
300ミリ F30
AF300
F《エフ》30という暗さで技術的にちょっとムリがあった!モーター音もうるさいし
だからこんな物売れないっていったろ!
ガガガガガ…

売れるといっとるだろバカモノ!
なぜお前はわしを信じないんだ!
だって一台のコストが20万円以上かかってるんだよ!
価格を20万円にしないと元がとれないんだ
心配いらん!ニコンF4《エフフォー》など30万円するのにバカスカ売れている!!
現代は高級志向だいい物はぜったい売れる!!
このカメラのライバルはニコンF4《エフフォー》だ!
ライバルは「写《うつ》ルンです」じゃないかな?
アタッチメントも作ったか!
いちおうね!
このように横につければ
ガチャ
見ろ!スターライトゴーグルみたいでかっこいいだろ
グイッ
そんなかっこうしてどうするわけ?

シャッターレリーズを口で操作するんだ
このように顔をむけた場面が写せるわけだ！
すばらしいアイデアだろう
外へでて試写してくる！
まるでターミネーターみたいだな
あの子かわいいから写そう！
見えた映像がそのまま写真になってしまう！
まさにこれは夢のカメラだ
むふふ
うおっ
しまったAF《オートフォーカス》の故障だ！
焦点距離が全然合わなくなった！

うおおっ前が見えない！
うわっ！
ヨロ
ヨロ
あっ!!
いきなりとびだしてきたもので…
平気ですよ この人はこういうことになれてますから
いててて
だめだ！あぶなくて外をあるけない！
やはりしっぱいだったか
くじけちゃいかんぞ!! 人生七転び八起きだ！
七転八倒《しちてんばっとう》という気がする
わしもあそんでいたわけじゃない 新製品を作った
え!?

見ろ このコンパクトカメラ!
うおっ
メガネのようにこうかけて使用する
その鼻はなんだい?
この鼻がシャッターになっている! おちゃめだろ!
カチャッ
思わず相手も笑い笑顔が写せるわけだ
このカメラがなんと390円の価格で作れる
それは安い!!
なぜならパーツのほとんどが紙でできている
だからコストが安い!
レンズは水だ!! 塩化ビニールの円盤形の中に水を入れただけ
そんなので写るのかい?
このレンズ方式は昔「冒険王《ぼうけんおう》」という月刊漫画誌の付録に「カメラ」がついていたそのレンズと同じだ!
ふだん「少年《しょうねん》」を買ってるわしは付録のカメラにつられて うわきし「冒険王」を買ってしまったカメラはすべて紙とワリピンで構成され 印画紙と現像のセットまで入っていてちゃんと写ったのだからすごいだろ!
マクロ
高く買います。

390円なら きっと 売れるよ!
ちゃんと カメラの 名前まで 考えたんだ
「てめえ!! じたばたすると 写すぞ」という ネーミングだ いいだろ!
近ぢか フラッシュつきの 「てめえ!! じたばたすると 光らすぞ」 というのも 企画している
たしかに ネーミングに 迫力が あるな
「写ルンです」とか 「よく撮れぞうくん」 なんかに負けて たまるかよ! カメラ界の モスバーガーと して急成長して 見せる!
そのためにも 君の財力が 必要なんだ
え!? お金なんて ないよ!
この店の カメラを ぜーんぶ 売っちゃうん だよ!
えーーっ そんな!!
ライカやローライの 状態のいい品が あるじゃないか! けっこうな金に なるぞ!
しかし… 全部売ったら 店がつぶれちゃうよ

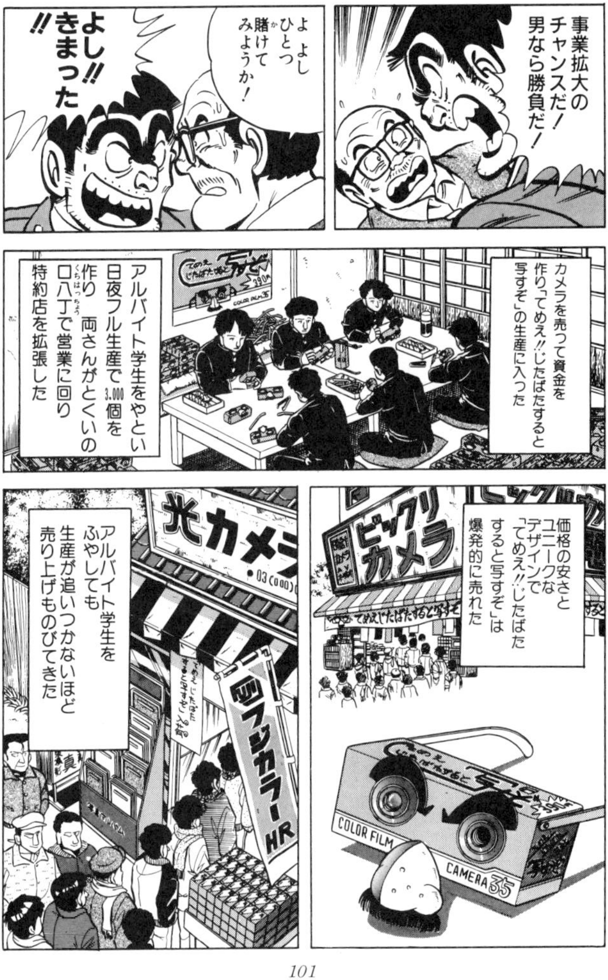
事業拡大のチャンスだ！男なら勝負だ！
よよし ひとつ 賭《か》けてみようか！
よし!! きまった!!
カメラを売って資金を作り「てめえ!!じたばたすると写すぞ」の生産に入った
アルバイト学生をやとい日夜フル生産で3,000個を作り 両さんがとくいの口八丁《くちはっちょう》で営業に回り特約店を拡張した
価格の安さとユニークなデザインで「てめえ!!じたばたすると写すぞ」は爆発的に売れた
ビックリカメラ
COLOR FILM
CAMERA 35
光カメラ
フジカラーHR
アルバイト学生をふやしても生産が追いつかないほど売り上げものびてきた

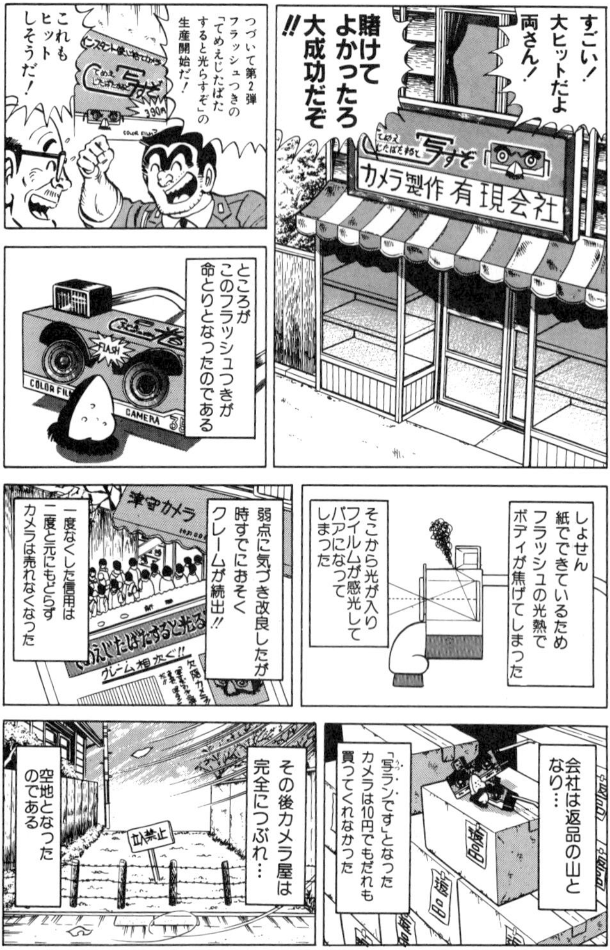
すごい!
大ヒットだよ
両さん!
賭けて
よかったろ
大成功だぞ
!!
てめえじたばたすると
写すぞ
カメラ製作 有現会社
つづいて第2弾
フラッシュつきの
「てめえじたばた
すると光らすぞ」の
生産開始だ!
これも
ヒット
しそうだ!
390円
ところが
このフラッシュつきが
命とりとなったのである
FLASH
COLOR FILM
CAMERA
しょせん
紙でできているため
フラッシュの光熱で
ボディが焦げてしまった
そこから光が入り
フィルムが感光して
パアになって
しまった
弱点に気づき改良したが
時すでにおそく
クレームが続出!!
一度なくした信用は
二度と元にもどらず
カメラは売れなくなった
クレーム相次ぐ!!
会社は返品の山と
なり…
「写《うつ》ランです」となった
カメラは10円でもだれも
買ってくれなかった
返品
その後カメラ屋は
完全につぶれ…
空地となった
のである
立入禁止

カメラ屋さんつぶれてしまったんですか？
元もと趣味でやってたような店でしたから
亀有公園前派出所
つぶれてさっぱりしたような…ガッカリしたような…
それにしても気の毒な話ですね
両ちゃんはお店がつぶれても全然被害がないものね
白アリみたいにまた次の家をさがしてるんだよ きっと
だれが白アリだ！
あっ先輩!!
カメラ屋の次はこれでもうけよう！
サンカメラ
Nikom F5
フィルム3枚付
子ども用
最高級日光写真機
日光写真を現代的にして駄菓子屋を中心に大ヒットさせよう！銀行から金をかりて!!
もうあきらめましょうよ！両さん！
全然こりてないわね

★週刊少年ジャンプ1989年８号

アスレチックGUN《ガン》マンレース!!の巻《まき》

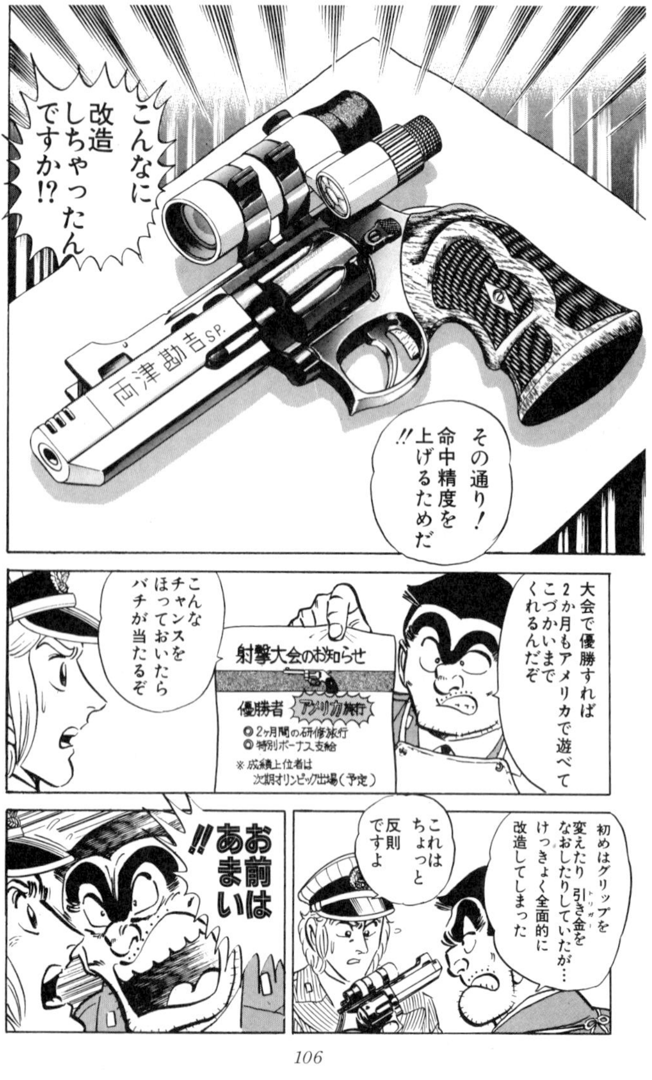

こんなに改造しちゃったんですか!?
両津勘吉SP.
その通り！命中精度を上げるためだ!!
大会で優勝すれば2か月もアメリカで遊べてこづかいまでくれるんだぞ
射撃大会のお知らせ
優勝者 アメリカ旅行
◎ 2ヶ月間の研修旅行
◎ 特別ボーナス支給
※ 成績上位者は次期オリンピック出場（予定）
こんなチャンスをほっておいたらバチが当たるぞ
初めはグリップを変えたり引き金《トリガー》をなおしたりしていたが…けっきょく全面的に改造してしまった
これはちょっと反則ですよ
お前はあまい!!

亀戸署《かめいどしょ》の中村《なかむら》はM60《ニューナンブ》に15インチのバレルとストックをつけて出場するんだぞほとんどライフルだ！
青戸署《あおとしょ》のやつなどM60《ニューナンブ》をオートマチックに改造してしまったんだぞ!!
みんなこのおいしい話に命をかけているんだ！
射撃大会のお
優勝者 アメ
◎2ヶ月間の研修ガ
成績上位者は
次期オリンピック
そういうことばかり一所懸命やるなお前というやつは
ドキッ
部長！これは遊んでるんじゃないんですよ！
かってに銃を変えるんじゃない元にもどせ！
うちの署が優勝すれば有名に…
元にもどすんだ！
はははい

まいったな この銃を元に もどすのは 30時間くらい かかるぞ
改造しすぎ ですよ M60《ニューナンブ》の イメージが ほとんどない
だって わしのM60《ニューナンブ》は ハンマー 引き金《トリガー》 シアーなどすべて 限界だぞ!
そうとう 使いこんで ますからね
銃身《バレル》の ライフリングも ほとんど ないですよ
80万発 くらい 撃った からな
そうだ! いいことが ある!
寺井! おまえの銃 ちょっと かしてくれ!
え?
すぐ返すよ サンキュー
ダッ
やった! これで銃が 生きかえる!

寺井の銃はほとんど新品に近い部品《パーツ》どりにはもってこいだよ
中身だけ入れ替えちゃうんですか!?ひどいなぁ
本体《フレーム》には製造番号《シリアルナンバー》が入ってるからな本体以外は全部新しくしてしまおう
バスに乗せられてずいぶん山の中で大会があるんだな
参加人数が多いですからね
30
20
9
ボルボ西郷《さいごう》 また体中にそんなに銃くっつけてきたのかよ
いちおう用心のために
今回の競技指導にあたられた教官を紹介する

アメリカから
いらした
ブロー・
バックさんだ
ハアーイ
ハワイユー
!?
アスロン説明
ボルボ
お前と同類
だぞ
アメリカでは
通常装備です
しっ
私が指導するのは
コンバット
シューティング
つまり
アクションを
しながら
ヒットさせる
技術を身につける
射撃
ライフルを持って
5km《キロメートル》 10km《キロメートル》と
スキーをしながら
的を撃つ バイアスロン
という競技がある
1960年からオリンピックの
正式種目になったが
元は軍の専従訓練の
ひとつだ いかなる場合でも
正確に撃てねばいかん!

アクション&《アンド》ヒット！これが大切です
私が発案したアスレチックシューティングで君たちの腕をためしてくれたまえ！
優勝者は私の指導でアメリカで特訓をおこなう！
それではブロー・バック教官の模範演技を！
うむ
200メートル先においてあるパチンコ玉をヒットさせよう
拳銃で200メートルかよ!?ほんとかな!?
信じられませんね
私は一度もミスをしたことがない！
オー！
オー！
アン！
サッ
チャッ

ドウッ
ビタッ
ビタッ
ザッ
トロア!
ゴロゴロゴロ
タッ
スタッ
トオッ
ビュッ
タッ
ハッ
タッ
タッ
タッ

ピョーン
ヘイ!
ハイ!
ダッ
ヒット!
ドギュ
ドギュ
すばらしいブロー・バック教官!
パチパチ
パチパチ
パチパチ
あんなに近づけばだれでも当たるよ
実戦だったらハチの巣だと思うんですがね!?
動きを気味悪がって相手がにげるかも知れんぞ!

初めは300メートル全力疾走でポイントにつくとターゲットが出る
それをヒットしたら次のポイントへと進み総合得点で優勝者をきめる
初めにターゲットをヒットしたら10点次は9点とへっていく早く正確に当てつづけねばだめだ
的を一回でもはずしたらその場で失格だ
一発のミスでダメなのかきびしいな!
その方が早く人数がへっていいよ
スタートオオオ!!!
射撃大会
ターゲットポイント
よし!一番乗り!!
げっ!!
あんなに遠いのか!?

うわっ
ゼッケン⑳ヒット 10点!
くそ!先をこされたか!
どけっじゃまだ!!
ゼッケン⑨ヒット 9点!
かんたんに当てていくな!
ようし!オレだって
次は坂か!! 体力が勝負になってきたな!
ゼッケン㉚ハズレ 失格!
ひえぇ!

ゴロゴロ
うわっ
ガン
ガン
やった
ライバルが
へっていくぞ
うわ!
ぎゃあぁ
こういう
チャンスを
生かさ
ねば!!
カチャ
ターゲット
ポイント
いた
だき!!
ズギャン
ゼッケン⑨
すばらしい
射撃センスを
してるな!
今のところ
トップです
途中経過
くそ!
クイックローダー
使うなんて
ずるいぞ!
やった
一番だ
!!

カシャ
な なんだと!?
ゼッケン51ヒットせず失格!!
きたないぞ!!
手本をしめしてくれてたすかったぜ
しかし飛びながら当てるなんて!
チャキッ
こういうのは大とくい!
20点もらったァ!!
カチャ
ふたつ同時に出た!?
カチャ
両方いただき!!

タッ
やった!! いっきに19点追加だ!
サルみたいに身軽だな
こういう状況だとがぜん強さを発揮するんだ
ガヤ
ガヤ
なんだこの人形は!?
負傷者をかかえながら動くという設定です
これじゃ まるで子守《こも》りだぞ!
ズシ…
50キロあります重たいですよ!
なんだいきなり集まってきた!?
ほとんど失格してしまったのでもう一度初めからやりなおしたんです
きたねえぞ!!
せっかく点数かせいだのにちくしょう!
またゼロからスタートかよ!!

さすがに
つかれてくると
当たらなく
なってくるな
ズギューン
ズギューン
ズギューン
ズギューン
ターゲット
ポイント
ゼッケン㉕
失格!
ゼッケン④
失格!!
ドギャッ
ガシャ
あ!?
先輩だ!!
オーノ
ガヤ ガヤ
あんな
後方から……
ボーナスが
かかってると
まさに
マシーンだ
ズギュン
ガシャ
ゼッケン⑳
ヒット
9点!
ここも
一番乗り!
10点追加!!
ズギューン

川越えです 中央に ターゲットが 出ます!
ザー
ザー
やはり川か! ぜったい あると 思った!
ちょっと ちゃんと 鉄の玉をつけて もらわないと!
おい! いいかげんに しろよ
ジャラ
うわ
ひえっ
ズザザザ
どけ! じゃまだ!!
ズギュッ
ひいい
すごい 体力ですね おたく!
バシャ
今度は 火の輪くぐりか!?
ザザッ
その通り 10個くぐって ください!
ゴオオオ
大ばかやろう!

ズダダダッ
あちちち
今度は一輪車でつなわたりです
どこが射撃大会なんだ!
こうなりゃやけくそだ!
なんでもやるぞ!!
射撃大会
すべて終了しました!
優勝は葛飾署の両津巡査長にきまりました!
パチ
パチ
パチ
パチ

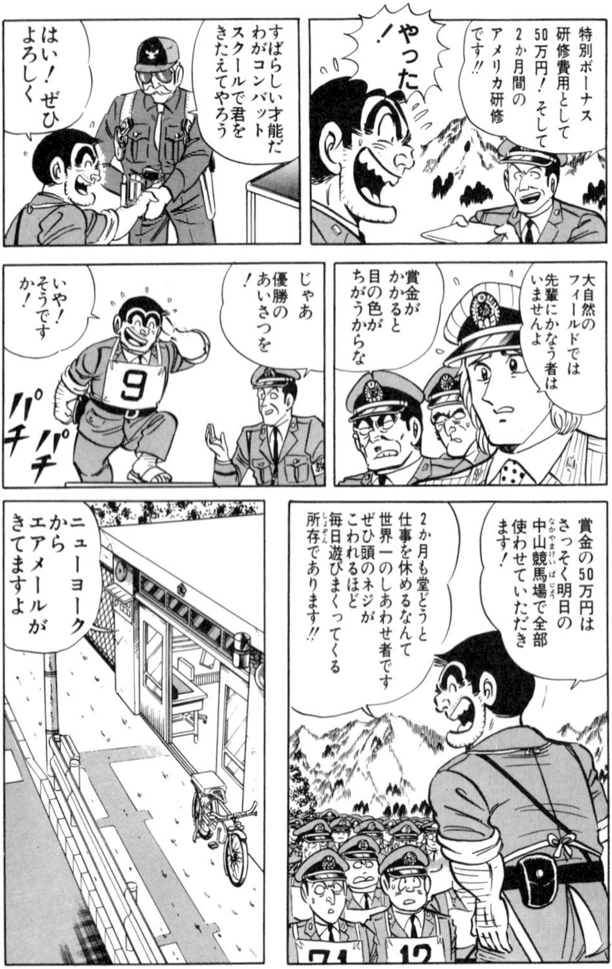
特別ボーナス研修費用として50万円！そして2か月間のアメリカ研修です!!
やった！
すばらしい才能だ わがコンバットスクールで君をきたえてやろう
はい！ぜひよろしく
大自然のフィールドでは先輩にかなう者はいませんよ
賞金がかかると目の色がちがうからな
じゃあ優勝のあいさつを！
いや！そうですか！
パチ パチ
賞金の50万円はさっそく明日の中山競馬場《なかやまけいばじょう》で全部使わせていただきます！
2か月も堂どうと仕事を休めるなんて世界一のしあわせ者です ぜひ頭のネジがこわれるほど毎日遊びまくってくる所存《しょぞん》であります!!
ニューヨークからエアメールがきてますよ

本当に毎日遊びまくっている知らせか?
いや ブロー・バック氏によると ちゃんと研修をしてるそうです
U.S.M
36
ただ さしだしがコンバット・スクールじゃなくてU.S.《ユーエス》マリーンになってますが
なんだと!?
・・・
なんで海兵隊の研修させるんだよこら!
でかい男ばかりの中で生活するのもうやだよ!まだ派出所の方がましだぞ!
君はポリスマンより傭兵《ようへい》の方がむいてる血の気も多いし!

★週刊少年ジャンプ1989年19号

夢《ゆめ》のふぐ忘年会《ぼうねんかい》！の巻《まき》

冬も本格的になってきたな
八百屋
こうさむいと鍋物でもたべたくなるな!
大会社
なんだ!?
喫茶ラフ
そば
よう両さん!
あっ
なんだよ車でどこかいってきたのか?
きのうから海釣りにいってたんだよ!
ひさびさの大漁だよ
どれ!見せてくれ
ほらふぐまで釣れたんだぜ
おおすごい

けっこう大きいのがとれたな! だいぶ上達してきたぞ
そうだろ! 釣りにいった仲間の中で一番だったぞ!
わしにこのふぐをくれよ!
だめだよふぐは貴重なんだから!
いいじゃんかよ今度また釣ってくれば! 今回はわしにくれ!
オレだってたべようとたのしみにしてたんだぞ!
こないだ駐車違反を見のがしてやったっけな
わ わかったよ全部もっていっていいよ!
ポンッ
ちゃんとふぐ専門店で調理してもらわないとだめだぞ!
わかってるよ板前《いたまえ》に知り合いがいるから大丈夫!
ふぐ
ふぐ
ふぐ料理
ふぐ料理

このふぐを調理するのか!?
今 忘年会のしこみでいそがしいからあとでやってやるよ
なに！あとまわしだと！
わかったもう二度と競馬の予想してやらんからな
わかったよ両さん！すぐやるよ
恨《うら》んでわざと毒の肉をくわすなよ
このふぐの毒は内臓と皮だけだよ！肉は無毒だ
皮にも毒があるのか？内臓だけかと思った
ふぐの種類は40種近くあるんだぞ両さん！
種類によって毒の場所はみんなちがうよ肉や卵巣《らんそう》にあったりいろいろだよ！
両さんひとりでたべるには多すぎるぞ！5～6人分はあるよもったいない
わしひとりじゃちょっと多いな！
署の仲間をよんだらどうだい！5人分のコースただでやってやるよ
本当かよ！まともなら一人前1万円もするのに！

そうだ！いいこと思いついた！
この手がある！
ぐ料理店
通学路
忘年会をふぐ料理屋でやるだと!?
有公園前派出所
ふぐのヒレ酒から始まって ふぐ刺《さし》 からあげ ふぐちり ぞうすいつきで なんと一人前5,000円です
私の顔で1万円のコースを5,000円にまけさせました！
5,000円とは安い！ふぐ料理なんて豪華でいいな!!
シーズンですからいいですね！
でしょう!! 私が幹事をしますからおひとり5,000円で夢のふぐ忘年会
よし！お前にまかせよう

やったぜ！5人で2万5千円か！
元はただのふぐなのに…もうかった！
両ちゃん顔が広いわね！
安い店なら私にまかせなさい
そうなんだ うちの部下がいい店を知っていてな ひとり5,000円でいいそうだ！
警ら課の忘年会をそこでやろうと思うんだが！
なんだよ！警ら全員でいくのか？
部長が今回は幹事ですから
両津！本当に5,000円で大丈夫だろうな！
もももちろん！おまかせください!!
30人だから二間かりればいい広さだよ
わかった 時間は6時でいいだろ！
30人だと15万円か う――む これはすごい
いやあ思わぬビッグビジネスになったぞ…

なに あのふぐでは30人前はむり？
せいぜい10人前だって！
そこを なんとかするのが板前の腕の見せ所だろ！
なに!? ムチャ!?
ばかやろう！ もっと うすく切ったり松ぼっくりや梅の花をのせてごまかせよ！ プロだろ！お前!!
どこへ電話しているんだ？
ガタッ
いえ！べつに その…
じゃ まあ そういうことでよろしく！
あまり電話かけてこないでね 本官《ほんかん》いそがしいからね！

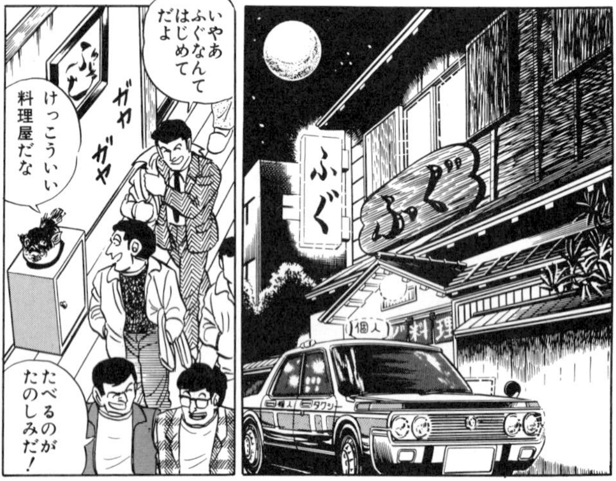
ふぐ
ふぐ
個人
料理
個人タクシー
いやあ ふぐなんて はじめて だよ
ガヤ ガヤ
けっこういい 料理屋だな
たべるのが たのしみだ!

さあさあ みなさん おすわり ください
今日は のむぞ
ガヤ ガヤ
DRY
DRY

今宵《こよい》はいやなことなどブアーっとわすれてたのしみましょう
よっぱらったら 署にはトラ箱が用意してありますからご心配なく!!
やったー!
わははは
わははは
パチ
パチ
パチ
パチ
ふぐ料理で忘年会とは豪華だなははは…
部下の知ってる店なんですよここは
調理場はどうかな
どうだ!ふぐの数が少ないがなんとかなるか?
ふぐちりは肉が少なくてもなんとかごまかせるんだが…
かんじんのふぐ刺《さし》の方が10人前が限界だよ
うーむやはり30人分はムリか…
お店のフグならあと20人前は都合つく…
だめだ!!

ひとり5,000円をこえたら大赤字で金もうけがパアだろ!
しかし材料がないと…
このふぐ刺をさらにうすく0・3ミリに切れば のこり20人分は確保できる
ムリだ!! それでも標準よりかなりうすく作ったんだぞ!
ふぐ料理のメインは刺身だからなこれが少ないとさわぎがおきそうだ!
あたり前だよ
この魚はなんだ?
かれいだが…
同じ白身の魚だからふぐ刺だといえば 気がつかんだろ
すぐにわかるよ!
警ら係のほとんどは高級料理のふぐなどたべたことがない連中ばかりだ!
本物もニセ物もわからんよ!
どうかな?
こうしようかれいの間に本物のふぐを入れるんだよ
見た目には全然《ぜんぜん》わからん!

酒ジャンジャン早くだしてくれ
はい
早めに酒で口をマヒさせておくんだよ
上司《じょうし》の方に常連《じょうれん》さんがいるぞ！
なに！本当か!?
山田《やまだ》係長や田中《たなか》課長大原《おおはら》部長もよく見えるよ
それはまずい上司たちの皿は本物だけにしておこう！
そっちはかれいばかりになっちゃうぞ
大丈夫だってこっちの皿は平巡査《ひらじゅんさ》にだす方だ
「これはふぐだ！」と強くおしえこめば「そうか！」とすぐ納得してしまう！
そうかな？
これはお偉いさんの方にだしてくれ
はい
貧乏な連中のはわしがはこぶ！

みなっさーん
おまたせ!
下関《しものせき》から
たった今 届いた
ふぐの刺身
です!
わあ
いよっ
まって
ました!
いやあ
すごい!
いよー
わあ
パチ
パチ
パチ
パチ
いやあ
ふぐなんて
はじめてだよ
来年は
いいことが
あるぞ
うむ
うまいな!
これで
5,000円とは
実に安い
ですな!
ムシャ
ムシャ
おいしい!
これが
ふぐ刺か!
そう!
それが
ふぐの味!
おいしいだろ
このふぐ!
ふぐらしい
上品な味だ
本当だ!!
ふぐって
おいしいな

おかしいな
これは…
ちょっと
変ね
お前たち
ちょっと
きなさい
グイ
えっ？
な
なんですか
？
お前ら　いいか！
忘年会が
終わるまで
何もいうなよ！
や・や・はり
ニセの
ふぐ!?
両さん！
みんなから
あずかった
会費！
はい
はい
30人分15万円
酔わないうちに
わたしとくよ！
ははは
なんとか
予算内で
やるからな！
この赤いのは
ふぐじゃ
ないよな
マグロの
刺身だよ！
味もマグロ
そっくりだ
なんで
ふぐ刺に
マグロが
入ってるんだ
この
15万円は
私のもの！
やったぜ！
正月は
日光《にっこう》の
温泉でも
いくかな

あれ？両さんは……!?
ダッ
てめえ！ふぐ刺にマグロ入れやがったな!!
材料が足りなかったんだよ！どんな魚でもわからないといったろ!?
ばかやろうマグロとふぐの区別は小学生でもわかるぞ！どうやって弁解するんだよ！おい!!
幹事さんみなさんがおよびです！
見ろ！証人喚問《しょうにんかんもん》になった！あとでおぼえてろ！
何か変わったことがありましたか？
ふぐの中にマグロの刺身が入ってるぞ
これはびっくり！
なんてことをいうんです！失礼な!!
これは『赤ふぐ』じゃないですか！
今回の目玉商品ですよ！

北九州《きたきゅうしゅう》の一部でしか とれないという 幻の魚「赤ふぐ」を 知らないんですか？
この日のために 私が身ぜにを 切って 板《いた》さんに とりよせてもらった 最高級の赤ふぐ ですよ！
そうだったのか そんな高級な 魚だったとは…
マグロと よく似ているため まちがえる人が 多いんです！ プロが見れば すぐ赤ふぐと わかります
なに？ このふぐも ニセモノ だと!?
今 調理場へ いって全部 きいてきたん ですけど…
ふぐを もち こんだり 別の 魚を使って 経費をうかし てるそうで…
どうも 安すぎると 思った…
ねっ そう思って たべると マグロとは ひと味ちがう でしょう
本当だ！ 微妙に ちがうな
おい 両津！
え!?
幻の魚という 赤ふぐを 見てみたい！ 調理場から もってきて 見せてくれ！
そ そうですか！ 見たいん ですか…
ま まだ のこってる かなあ…

ちょっと見てきます
ちょっと時間がかかるかもしれませんけど…
やばいな！うたぐりかけてるぞ
ここは一番信用させねばまずい！
なんだってふぐじゃなくてこれはかれいだって!?
両津が経費をうかすためわしらをだましたんだ
赤ふぐなんてインチキか！
ガヤ
ガヤ
ガヤ
ずるがしこいやつだからなあいつは！
じゃあこれも本当はマグロか！
おまたせしました！
これが幻の魚赤ふぐです!!
すごいでしょう全身まっ赤のおそろしい魚です!!

ふぐの剥製《はくせい》に色をぬってごまかしておる
ペラ ペラ
みんなばれているのに…
魚の図鑑にもちゃーんとこのように
のっております!!
赤ふぐ
わざわざあんな物まで用意するとは
仕事もあのくらいマメだといいのに…
あら? みなさんどうしました…
ムーーーん
幻の魚を見てもあまりおどろきませんね…
両津 その赤ふぐをたべてみろ
えっ
実はこれ…赤・ふ・ぐのひものでして
なおさらうまいだろ ぜひたべろ!
いやあおいしい!
ボリ ボリ
こりゃ酒の肴《さかな》に最高!!
ボリ ボリ ボリ
全部たべろよ

おいしいけどちょっぴりむせるな…
ゴホッ
ゴホッ
ゴホン
いやあ実に美味だ!
ちょとお茶をのんで流しこまないと…
ズズー
ゴホッ
両さんもうやめなって!
魚がニセ物だって全部ばれてるんだから!
ぴゅ〜
いいがかりはよしたまえ君!!
ゴホ
ゴホ
お金をみんなに返した方がいいよ両さん
だまれ!!
部長は私の身が潔白だと信じてくれますよね!!
信じられんな
みなさんは信じて…あら?…
しーーん
えーとう〜〜むあの…
申しわけありません!みなさま!!
私腹を肥やすためつい忘年会を利用させていただきましだ!!
ペコッ
ついにあきらめたか!

おわびに なんでもしますから このことは署にないしょに! これ以上減給されると マイナスになりますので…
なんでもするんだな 両津!
ま まあ たいがいのことなら…
ガラ
おまちどう様
きゃあ
なんだこりゃ
海の幸の生造り・両津添え・です
ガヤ
ゲラゲラ
なるほど これは豪華だ!
わはは
ガヤ
ビデオにとっておきましょう
ガヤガヤ
男の女体《にょたい》盛《も》りとは不気味だ…
わははは
とてもたべる気しないな
ガヤガヤ
ちくしょーっ ふぐなんかもらうんじゃなかったよっ!

★週刊少年ジャンプ1989年１・２合併号

東京《とうきょう》土地なし派出所《はしゅつじょ》の巻《まき》

自分でぶつけてはずしたんだから！元どおりになおすのよ！
わかってるようるさいな！
ガタ
ガタ
ガタ
ガタ
元はといえばこの派出所がボロいせいだ！
イラ イラ
くそ！だんだんイライラしてきた…
ガタ ガタ
ガタ ガタ
さっさと入れ!!
ゴン
あいた！
もう頭にきたぞオ!!
きゃあ
やろ～～

へん!
ざまあ
みやがれ!
ああ すーっと
した!
げげっ!!
ぶっ
部長!
公衆の面前で
何をしてるんだ
お前は!
グイ
グイ
あいたた
たたっ!
もう
しませ
ん!
ガラス代は
給料から
引いとく
からな!
く〜〜っ
ついてない
!
派出所の
実態調査
ですか?
本庁の
総務部の
山下《やました》さんだ
派出所の
現場を調査に
回ってる
わけです!

それなら　このボロ派出所の戸もなおしてくださいよ自動ドアかなんかに!
派出所もいっそのことペンションみたいなモダンな派出所にリフォームしてください!!
リフォームなんてとんでもありませんよ!
この派出所はA《エー》クラスの環境ですよ
都心の派出所では立ち退《の》きをせまられてる派出所が多いんですよ ここは大きな公園があるから大丈夫なんです
例の地価高騰《ちかこうとう》のあおりですか!?
そうです いよいよ派出所までおびやかされてきたんです
都内に派出所は1,248あり　東京都《とうきょうと》の都有地が304　区や国の土地をかりてるのが511あります
のこりの433が民間からかりてる土地です
駅前などの一等地をかりてるケースも多いですからね もち主がビルを建《た》てたり税金で手ばなしたりで返還をのぞまれてる場所もあるのです
たしかに都内の地価は高くなりましたからね

以前は地域の治安のためになると地元の人たちがよろこんで土地を提供してくれたものだが…
ひとつぼなん百万円もする時代になった今ではむりですよ
本庁で派出所の建ってる土地を買っちゃえばいいのに！
予算がないんじゃないですか？
別の安い土地を買って そこに派出所をうつせばいいだろ！
警視庁の管轄《かんかつ》は世界一・・・土地の高い東京都内ですからね
都内に安い土地などありませんよ 千葉《ちば》 埼玉《さいたま》なら買えるけど 県警の管轄区ですし
八方ふさがりだな
土地なし派出所になってしまうのか
派出所という制度は世界に例がない 日本だけのシステムです 犯罪を未然に防ぐのに役立ってるのです
地域住民のご理解を願い派出所の数を守らねばなりません
両津 お前も調査に同行しろ
えっ なんで
他の同僚がどんなに大変か見学してこい
あまり気が進まないな

途中で逃げたら撃ってかまいませんから!
カモじゃないぞくそ!
この場所にも以前 派出所があったんですよ
どこにうつったんだ?
区の協力で公衆便所の上の土地をかりました
なんとあわれな……
あのていどはまだましな方ですよ
本当に大変な状況なんだな…

土地が見つかるまでここで仮営業をしてる派出所もあります
えっ
ここはアパートだぞ
本署でアパートをかりたんですよ
ここが派《は》出所《しゅつじょ》です
アパート内
派出所
本当にあった!
本庁の山下です
はい
トントン
どうぞ!
新春交通安全

ただ今 ちかんの犯人の取り調べ中ですが！
3件とも お前じゃないのか!? え!?
班長 例の実態調査です
うむ わかった
どうですか？ もう2週間ほどたちますが
だいぶ ここの派出所にもなれました！

アパートだから新聞の勧誘が毎日きますよ制服を見ておどろき帰っていきますがね
なるほど！ほかには？
容疑者を本署からむかえにくるまであずかっているんだが…
押し入れしか保護する場所がないんだよ
早くだせ！こら！
ガタ
ウィ～ヒック
ガタ
これは不便だな
拳銃も保管庫がないので額のうらに！
あんな所じゃすぐ見つかりますよ
お巡りさん！ハラがへったぞ
なに!?
さっきカツ丼をとってあげたろ！

赤ちゃんがねてるからしずかにしてくださいよ！
チャッ
あっこれはどうも！
夜中もいつもうるさくて近所でこまってるんですから！
申しわけありません！
班長が民間人におこられるとはなさけない！
住民の理解が必要ですからね
それじゃがんばってください
交通
どうもごくろう様です！
土地つき一戸建《こだ》ての派出所も贅沢《ぜいたく》になってきたんだな
COFFEE
COFFEE
COFFEE
マイホームと同じですよ
あのマンションにも派出所があるんですよ

暴力団の事務所が入居したので…
住民の要望でですね
その両側をはさむように派出所ができたのです
ニコニコ組
マンション派出所
そしたらほかの組がさらに両側に事務所をかまえてきて…
また住民の要望で……
ふたたびそのふたつをはさむように派出所ができて…
オケベ組
けっきょくマンションの5階のフロアーは派出所と事務所だけになってしまったんです
まるでオセロゲームだな!
通学路
止まれ

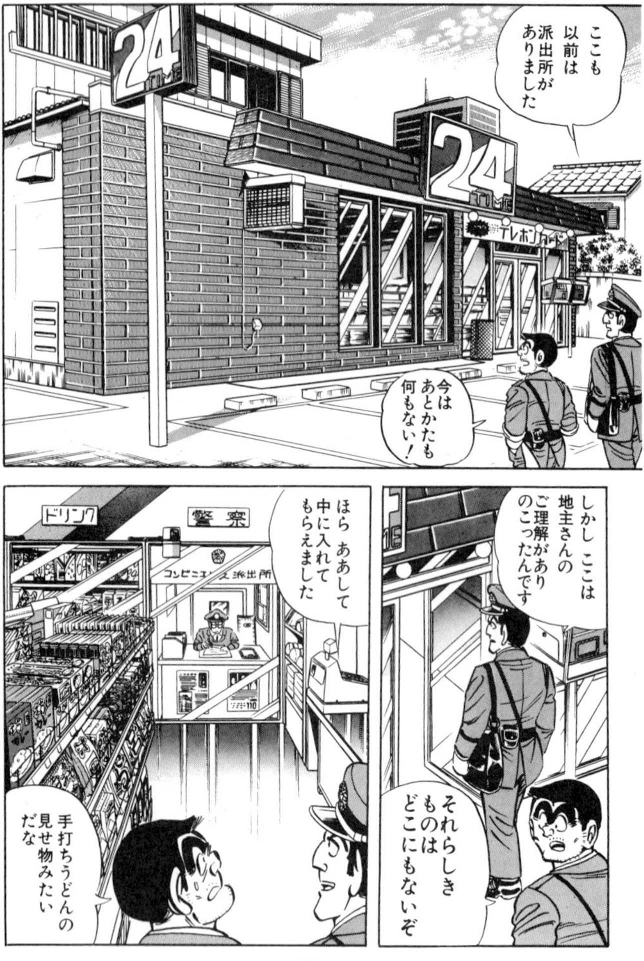

24 TIME
ここも以前は派出所がありました
テレホンカード
今はあとかたも何もない!
しかしここは地主さんのご理解がありのこったんです
ドリンク
警察
コンビニエンス派出所
ほらああして中に入れてもらえました
それらしきものはどこにもないぞ
手打ちうどんの見せ物みたいだな

まだ下町は いい方ですよ
一等地の 調査にいって みましょう
Nikon
Nikon
ELECTRIC
ひとつぼが 三千万円以上と いわれる銀座《ぎんざ》 ですからね ここは
地下鉄
SUBWAY
銀座駅
10つぼで3億円 以上ですよ とても手がだせ ませんよ
San-ai
銀座の中心 4丁目にある 制帽《せいぼう》の形をした 派出所など 土地だけで 3億はしますね
ああいう 超一等地にある 派出所は トイレや 仮眠するベッドが 地下にある ケースが多いん ですよ
小さな土地を 有効に使う ためにね

公園前派出所は台所や庭までついているものな！うらは公園だし
A《エー》クラスの環境といったのがわかるでしょう
銀座でも仮営業の派出所があります
え!? そこに!?
おいおいこんな路地を通りぬけるのかよ！
・・・通りぬけじゃありませんよ入口です
ほらここに派出所があるでしょう
銀座派出所
ごくろう様です
なんと！
銀座通りに派出所があったのですがそこにビルが建っちゃいましてねとりあえずこの路地をかりているんです
この顔にピンときたら110番
うなぎの寝床だなまるで！

ジリリリリリ
おや？電話の音が!?
ガラッ
お巡りさん電話です
いつもご協力感謝します
なに！みゆき通《どお》りで事故だとわかった！すぐいく！
松戸《まつど》！すぐいけ！
はい！
おい！このせまい所で入れかわりはムリだ！
上から通りますから大丈夫です
まるで忍者だ！うまいもんだな
イスはあっても机はおけないな！
これが机ですよ

こうして書類を書くんです
それじゃ黒板と変わらんよ
おまちどう様！
うわっ
あとでポットに水をください
はい
3階はそば屋か！
昼間はいいが夜は冷えるだろ！ほとんど外と同じだから！
平気ですよ
ダンボールにこのようにくるまってねますから
なんかあぶないスタイルだな

どうだ両津 派出所の現状を見てきて…!?
ひさんな派出所もありましたよ
亀有公園前派出所
そうだろ! この派出所はまるで天国のように見えただろ!
そーー…でもないと思うけどな
銀座の数寄屋橋《すきやばし》の派出所はここより立派だったもんな!
どっちかというとわしは下町より山の手《やまて》の方が似合うだろ! 品があるし!
両ちゃんは下町そのままよ 100%《パーセント》下町じゃない
短気でうるさいし…
手が早いし すぐ大声出すし…
頭の先から足のつま先まで下町どっぷりという感じですよ
うるせえなちくしょう!! バカにしやがって!!
かるくきいただけなのにそんなにいうことないだろ!

21世紀にむけて東京ウォーターフロントに派出所を新設する予定なんですよ
そこの班長を一名 今さがしてるんです
本当か!? 今の話!?
ガッ
あいたた!
ウォーターフロントって東京湾再開発のことか!?
もちろんそうだよ
高層ビルが建ちならぶ新都心になるからね治安も守らないとだめだろ!
う――む かっこいい新都心の第一号ポリスになれるチャンス!
きめた! わしがそこの班長になる!!
え!?
最先端の派出所には都会的な わしが必要だ!
わしがそこにチャレンジしてやる! わかったな!

部長
いいですよね
私が独立
しても
かま
わんよ!
ぜひ
独立
してくれ
やったぁ
わしも
班長だ!
うーーむ
かっこ
いいぞ!!!
東京ウォーターフロント
SUZUE
おーーい両津!!
ウォーターフロント
派出所での
気分はどうだ!?
じょうだん
じゃない
ですよ
部長!!
フロントじゃ
なくて
海の上ですよ
こんなの
派出所じゃ
ないですよ
POLICE
チャプ
チャプ
チャプ
ウォーターフロント派出所
とん吉くん

★週刊少年ジャンプ1989年7号

佃《つくだ》のじいちゃん大追跡《だいついせき》！の巻《まき》

しばらくこないうちにでっかいビルができたし…
佃小橋《つくだこばし》もえらい変わり様だ
昔ながらの佃島《つくだじま》にも新時代の波が押しよせてきたか!
※じいさんの家たしかこのあたりだと思ったが…

※このおじいさんについては、JC《ジェーシー》35巻「ヘーイ！モボ!!の巻」を見てみてネ!!

非番だからせっかく遊びにきてやったのに！帰ろう！
悪かったよ！勘吉
せっかくきたんだお茶でものんでいけ！
104歳にもなってラジコンなんかやるなよ！
まったく金目の物はないな！
くそ！
タンスの奥にかくしてあったこの金庫をいただいていこう！
じょうだんじゃないよ
ガラガラ
あっやばい!!

昼めしも食べずにきたんだぞ!
今すぐ作ってやるから
相変わらずハデな部屋だな
長屋をこんなに改造しやがって!
冷蔵庫に何か食べ物が入ってないか
ガタッ
あっ
どうかしたか?
ぐっ

う——む
いつつ…
あっ!
やっと気がついたか!
なんだ! さっきのドロボウにしばられてしまったのか!
その通り!
わしの大切な金庫がぬすまれてしまった!
くそ! なんてこった!
気絶さえしなけりゃあんなやつ!
それより勘吉!
さっき途中まで焼いてた魚が火だるまだ!
あぶないぞ火事になる!
プス プス
頑丈《がんじょう》に結びやがったなびくともしない!
10分もかけてしばってたからな!
グイ
グイ

しかたない このままでいく! 立つぞ!
わかった!
せえのっ せっ!!
あいたた ストップ
しっかりしろよ! 気を合わせろ!
まるで二人《にん》三脚《きゃく》だな!
しっかりガスを止めろよ!
よし
あっ しまった!
ポトッ
このバカ!
あちちち…
とても足じゃ消せん!
消火器はどこだ!
そんな物ない!

シーツをかりるぞ
いた!
シーツをぬらして火の上にかぶせれば火は消える
なるほど
フロ場はどこだ!
こっちだ!
よいしょ!
チャポ
うおっゴキブリだ!!
こら!おい!!
ぐわ
バシャ
バシャ
ガボ
ガボ

ぶわっ くるしい！
ごほっ ごほっ
はやく しろ 勘吉！
わかってるよ！
だめだ！
火の面積が多すぎる！
ジュウウウ
最後の手段だ
あっ！？
ジュウウウウ
あちちち ちち!!
たっぷり水をふくんでるからよく消える！
ゴシゴシ
やめろ こら！ あちちち
ふう なんとか火事はまぬがれた！
わしを・・・火消しに使いやがって!!

あっ犯人が外に!
ようし!追いかけるぞ!
このマドカギがしまってるぞ
さっきでかける時しめたんだ
今どきネジ式のカギとはくそ!
カチャ
カチャ
こっ・ち・の・方がはやい!!
あっ!?
見ろ!!カンタンに外へでられたぞ!!
あぶないことするな!

あいつだ！はやくしろ追うぞ！
まて勘吉！
この路地から先回りができる
さすが地元だ！
ちょっとせますぎやしないか！
ズズ…
ふたりだと通りづらいな
おい！押すなよ！
顔が…
うおっクモだ!!
ギエエエエ
何だ!?どうかしたのか？
したよ！思い切り！
横はやめようタテに進もう
そうか！

おい!ドロボウ
なに!?
あっ
わしの金庫をかえせ!
あっにげるなこら!!
ダッ
声をかけりゃにげるのは当たり前だろバカ!
つい!うっかりして!
追いかけるぞ!!
ダッ
うわ
こわい!!こわい!!
こら!バランスが!
はう
いやぁクッションになってくれてありがとう
く〜〜〜

もうやめた！あんなドロボウほっておく〜!!
なんてこというんだ勘吉!!
あの金庫にはばあさんとの思い出の品が入っているのに…
あれがないとわしは生きてゆけん！
わかったよ！
つかまえりゃいいんだろつかまえりゃ!!
おい勘吉
住民にこのヒモをほどいてもらおう！
そうか!!
はやくしないとあのドロボウ遠くへにげちゃうぞ！
心配いらん！

こんなモノどこで手に入れたんだ!
両津
ボッボッボッ
いいからはやく乗れ!
出発!
ガラッ
いけ!!ヒンデンブルグ号!!!
ブオオオオオオ
ドロボウがどこにいるかわかってるのか!?
わかっておる!
この佃島は四方川にかこまれ にげるための大きな橋は3か所しかない
佃《つくだ》
相生橋《あいおいばし》
佃大橋《つくだおおはし》
月島《つきしま》
勝鬨橋《かちどきばし》
勝《かち》どき

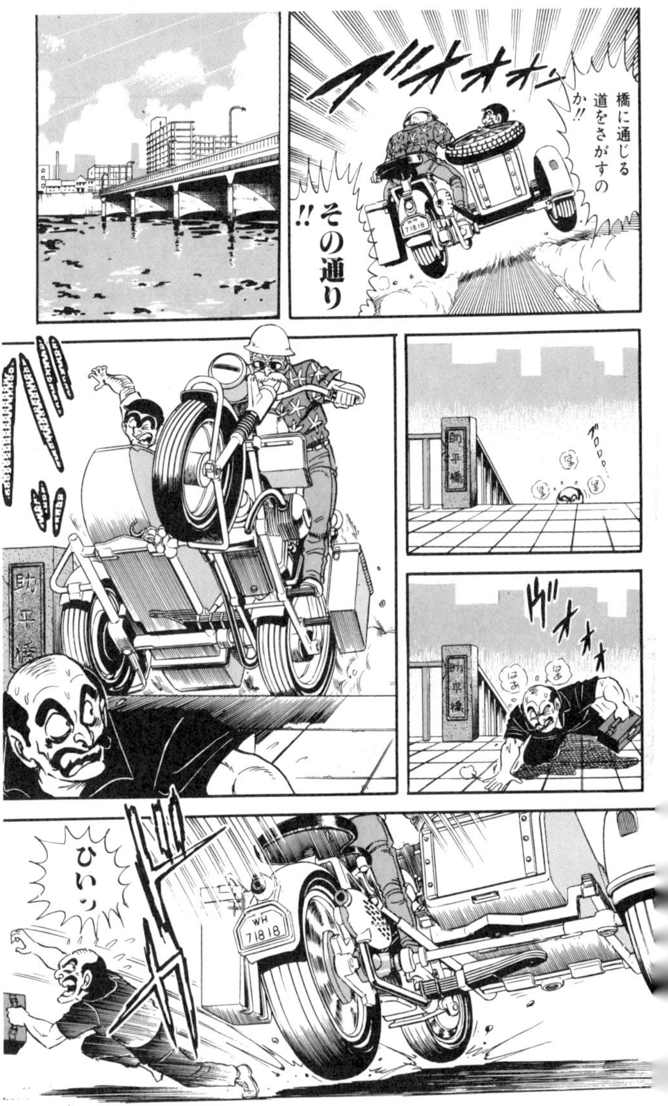
橋に通じる道をさがすのか!!
その通り!!
助平橋
ひいッ

とうとう追いつめたぞ!
ひいっ
おしい!
運転が荒すぎるぞ!
ドロボウがまた路地へにげたぞ!!
あっ!!
わしの運転技術をあまく見るなよ!
ちょっとまて!

ぐわ
ぬおっ
サイドカーがこんなせまい所入れるか!!
側車《そくしゃ》がついてることをついわすれてしまった!
まて!
こら

しつこいな
どこまで
追うつもり
なんだ!
お前を
つかまえる
までだ!
それっ
つかまえ
たぞ
こいつっ!
ガッ
うわ
勝鬨橋から
つき落として
やるか!
ググ
ひええっ
助けて
つい大金が
入ってるかと
思って…
すみません!
金では買えない
大切な品が
入ってるんだぞ

いったい何が入ってるんだ?
そうだ確認してみよう
なっ…なんだこれは!?
このトテリスは今大人気で手に入らん貴重な品なんだ!
いやぁよかった……ん!?
どこがばあさんとの思い出の品なんだよ…
ピクピク
信じてくれ!明治《めいじ》の頃ばあさんとふたりでよくファミコンをしてたんだ!ほんとだ!
バッ
あっこら!!
よくもだましやがったな!このクソじじい!!
もう二度と訪ねてきてやらんぞ!

★週刊少年ジャンプ1989年30号

お正月は駄菓子屋で！の巻

まいったなくそ！
元旦《がんたん》から寮をおいだされちまったよ！
おもちあります
どの店もしまってやがる！まいったな！
どこかでとりあえず時間をつぶさないと…
そうだ！
あそこならやってるぞ

お正月は駄《だ》菓《が》子《し》屋《や》で！の巻《まき》
mini PING PONG
玉屋
ウェファース
あんず
コーラ
都こんぶ

ありゃ!?
ばあさんが
いないぞ!!

黒田屋
Coca-Cola
なんだい？両さんじゃないか！
あっいた!!
店をあけっぱなしでどこいってたんだよ！
香取神社《かとりじんじゃ》に初詣《はつもうで》だよ
ばあさんは駄菓子屋とセットになってるんだから かってに動くんじゃない
だれがきめたんだい！そんなこと！

正月なのに全然変化がないな!
これでも大そうじしたんだよ 失礼しちゃうね
ここまでアンティックな家になるとどこをどうそうじしたのかさっぱりわからん!
大きなおせわだよ
朝めしはたべたのかい? 両さん?
さっきおきたばっかりだ

今 おぞうに作るから いっしょに たべようね
ザー
いやあ たすかるよ
いつもは ね正月の両さんが 正月早そう くるとは 思わなかったよ
トン トン
寮の連中は みんな いなかに 帰っちまったんだよ
わしひとりしか のこって ないんだ！
管理人のばあさんが いい機会だからって 寮の大そうじを 清掃会社に たのみやがってな！
30人くらいで 朝からバタバタ 始まって じゃまだ からと 追いだされて しまったんだよ！
実家は 浅草だろ！ 両さんも すぐ帰れる じゃないか！

そうカンタンにゃ帰れないんだよ!
亀有《ここ》から近いじゃないか
よいしょ!
江戸《えど》時代じゃ川をこえたら別の国だぜ!
箱根《はこね》八里《り》は馬でも越《こ》すが越《こ》すに越《こ》せない〝隅田川《すみだがわ》〟ってな!
浅草は隅田川のむこうだからなあの隅田川をわたるのはむずかしいんだよ
あんず
ミルクせん
橋がいっぱいかかってるじゃないか!
そういう問題じゃない!
ポリポリ
女にゃわからんよ!
ほらできたよ
やった!
これで人並の正月気分が味わえる!
どんどんおかわりしていいからね

ぬお…
くるしい もう だめだ!
いくら なんでも 20個も たべるから だよ
くえるときに めいっぱい くう主義 だからな
体こわすよ そんなこと してちゃ!
寮の大そうじが 終わる夕方まで せわになるからな
何か用事が あったら 手伝うぞ
本当かい! それじゃ ゴミすてを たのむよ
年末そうじで いらない物が 多くでてきて こまってたんだよ
おおっ おもちゃ ばっかり
このロボットなんか 新しいぞ! 売ればいいのに!
アニメの おもちゃは テレビで やってる時は 売れるけど…
テレビ放映が 終わったとたん さっぱり 売れなくなる からね

やはり すてるなんて もったいない！
おもちゃで ある以上 かならず あそべる はずだ
これらの おもちゃを 袋につめて まとめよう
福袋として ひと袋 100円で売れば 買うぞ！
子どもってのは 買ってしまえば なんとかくふうして あそぶもんだ！
それも そうだね！
パキン
わしなども おたのしみ袋を 当てるのが たのしみだった
リカちゃん 人形と 服もセットして 入れて あげようね
ばあさん だめ！ だめ！
どう して？
リカちゃん人形には GI《ジーアイ》ジョー用の 海兵隊セットと M《エム》14ライフルを 入れるんだよ
え!?
女の子が当たれば いいが もしも 男がそれを 引いたらどうする？
女の子の物 ばかりで ガッカリして しまうだろ！

軍服とセットならG－ジョーもどきに女戦士《レディーコマンドー》としてあそべるだろ！
女の子が当てても昔《むかし》はやったミリタリールックとしてファッショナブルに使えるだろ！
おもちゃにもそのくらい神経細かく気を使わんといかんぞ！
なるほどねぇ！
このように銀玉鉄砲2丁とリリアンをセットにするとかな
お兄ちゃんが鉄砲ゴッコに興《きょう》じてる間妹はリリアンをあみながらまってる兄弟の姿が目にうかぶだろ！
基本的に当てた子どもをガッカリさせてはいかん！
わかったよ
サンダーバードのペネロープ号の運転手パーカーの人形とキャプテンウルトラにでてきたバンデル星人とムーミンにでてたおしゃまさんの人形をセットにしたんだけど……
うーーむむずかしい組み合わせだマニアの子ども以外は全然うれしくない！
よしベーゴマを50個つけてあげよう！
重さに・・・つられて買う子がいるかも知れん！
ザラ ザラ ザラ
さすが両さんだね

元はみな500円以上かかってるんだお買いどくだぞ!
すてようと思ってただけに気が重いけどね…
福袋 ひとつ 百円
でも 正月は子どもたちがお年玉をもらってくるからね!
そう!かせぎどきだよ!
くださーい
さっそくきた!
ゲイラカイトある?
凧《たこ》もってるじゃないか
全然上がらないんだ
グルグル回っちゃって・・・駆《か》っけ凧《だこ》なんだよ!
どれ見せてみろ
こりゃ中心がずれてるぞ!
右よりすぎるから回ってしまうんだ!

尻尾《しっぽ》のつけ方もこれじゃいかん!ちょっとなおしてやる
和凧《わだこ》は洋凧《ようだこ》とちがいけっこう微妙だからな!
両さん!なおしてたら凧が売れなくなるだろ!
わかってるよ!うるさいな!
まったくあのばあさんは商売にシビアなんだから!
もっともそうだからこそこの駄菓子屋が生きのこっているのか…
パチッ
あん
今度はよく上がるからな凧糸もふやした方がいいぞ!
じゃあ3本ちょうだい
わりばしに8の字形にまきつけるとからまないで使いやすい!
風にのった時こうしてもてばクルクル糸がのびて いっきに数10メートルは高く上がる
なるほどね

でも高く上がると引きが強くてまきもどすのが大変だな
そんな時は凧に手紙をだすんだよ！
糸にさせば自然に凧までとどくなんまいもだせば重みでしだいに低くなり引きが弱くなる
へえーっ知らなかった
ちょうだいな！
こまかいのがいっぱいきやがった！
おーいっばあさんの出番だぞ
あいよ！
やった!!赤いのがでた！当たりだよね！
インチキしなかったろうな！
じゃあもう一本やるよ
ぼくはこれがいい

両さん このコマ どうやって 回すの？
ベーゴマしか やらない からな お前らは！
本当は こっちの方が 正式な コマなんだぞ
いいか よく 見てろよ
こうして！
よっと！
これが 手のっけ という芸当だ
わあ すごい
へえーっ
ビイイイン
ヒモを まき つけると
このように つなわたりも する
すごい！
こんなのも はやってたん だぞ
いろんな物に コマをのせて しまうんだよ

カッ
よいしょっと
ほら!地球ゴマみたいにのるだろ!
すごいなあ
おもしれえ!
昔はだれでもできてあたり前だったのにな!
今はほかにいろんなあそびがあるからねえ!
さっきからじっと見てるあいつはだれだ?
先週引っこしてきたんだよこの子!別の学校らしいんだ
なんだ引っこしてきたのか
はい!
世田谷区《せたがやく》からあのマンションにこしてきたんです!
いつの間にあんなものができたんだ?

下町にもマンションがたって新住民がふえてきたからね
地元にしちゃどうもきれいすぎるからな!
お前も駄菓子屋に何か買いにきたのか?
でも買いぐいしたらママにおこられるから……
そんなの気にすんな!中に入って仲間になれ!
少し変わってるんだよこいつ!
みんないっしょだよ!同じ!
あんずあげるよ
えっあんず?
大丈夫だよおいしいぞ
うん!すっぱくておいしい
だろ!わしも小さいころは大好きだった
鉄砲ごっこやる者この指とまれ
わーいやるぞ!
じゃじゃあぼくも!

銀玉鉄砲の使い方おしえてやるよ！ここから玉を入れるんだ
うん！うん！
ジャラジャラ
なに！ばあさんいいのか？
正月の特別サービスだよ
お前たちサービスでひとりずつに福袋をやるぞ！
わーーい
ちょうだいちょうだい
やったあラッキー
早く神社いって撃ち合いやろうぜ！
あの子も友だちができてよかったな！下町のガキどもは口は悪いが受け入れが早い！
駄菓子屋は子どもたちの社交場みたいなもんだからね！

あたしから見れば みーんなかわいい 子どもたち ばかりだよ！
みんな 孫みたいな もんだから な！
ちょっと 電話を かりるぞ
あいよ
なに ペンキが かわくまで 寮にもどれ ないだと！
3日間も かかるの かよ!?
まいったな！ 3日間 〝家なき子〟に なっちまった！
ガチャ
いよいよ 浅草に 帰るしか ないね
・・・2番目の 自宅に 泊るか！
正月は 寺井と忘《わすれ》田《だ》の 軟弱コンビ だからな
両さん このつけ物 みんなで たべなよ
悪いな！ メシをくわせて もらった上 みやげまで！
Coca-Cola

駄菓子屋でもうけてそのうちビルを建ててくれよ！
その時は副社長にしてあげるよ
警察官募集
あ!! あなたは……!?
両さん!!
いやあ君たち元気かね
元旦早そう警察に奉行《ほうこう》するとはえらい!! 見上げたもんだよ君たち!!
低賃金で働く公務員の君たちに朗報だ！ 私が協力してあげようじゃないか！ 3日間！
亀有公園前派出所
新春の交通安全
さっそく夕食に特上ずしをとってお祝いだ!! よかったねえ両さんにあえて！

★週刊少年ジャンプ1989年５・６合併号

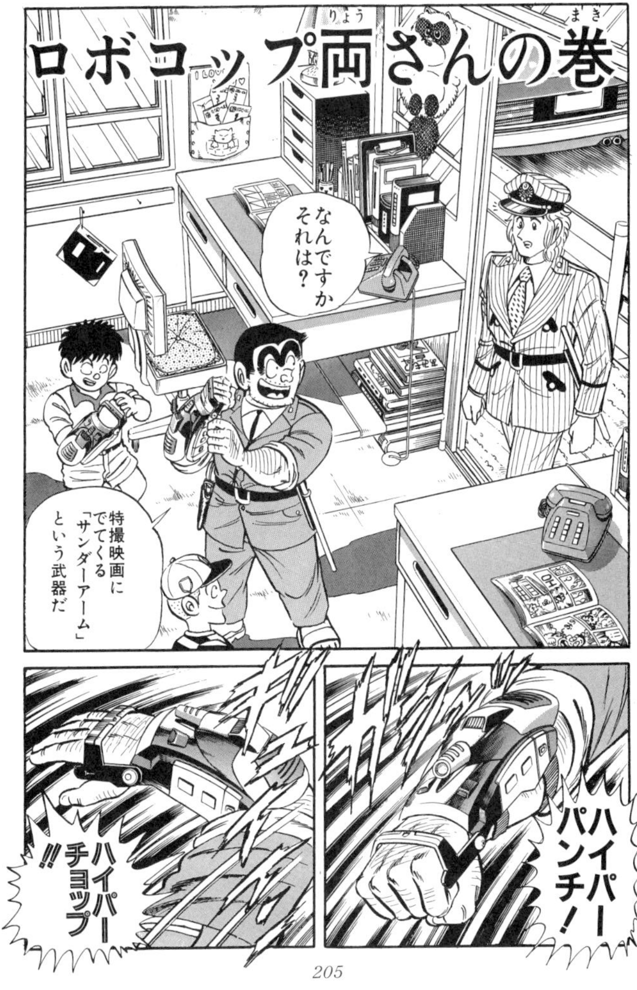
ロボコップ両《りょう》さんの巻《まき》
なんですかそれは？
特撮映画にでてくる「サンダーアーム」という武器だ
ハイパーパンチ！
ハイパーチョップ!!

さらに4回転させると…
さらに強力なパンチに変わる！
すごい！うでから効果音がでるんですね
サンダーアームを知らないなんておくれてるよ
まったくだこいつは世間知らずだからな
ここでもブームのようだね
おもちゃ会社のオヤジか！とうとう工場つぶれたか？
とんでもないおもちゃの試作品を持ってきたんだよ！
おもちゃ博士の両さんに見てもらおうと思ってね
よし売れるかどうか見てやろう！

仕事だから お前ら また あとでな！
うん じゃあね！
今度は フラフープでも 作ったのか？
コンピューターの おもちゃだよ
「ハイパーアーム」という品だ
サンダーアームと 同じじゃないか！
ゴトッ
もっと 複雑なんだよ！
こうすると 自動 ロックが かかるんだ
動きと声で 擬《ぎ》音《おん》が変化するんだ!!
スペシャル ハリケーン パーーンチ!!
ハゲた おっさんが そんなもん つけて 叫んでる姿は 不気味だぞ
しょうが ないだろ！ 仕事なんだから!!

ここがサンダーアームとのちがいだ！
パワーアップはまず前回し35回…
そして後回し20回…また前15回
また前5回！
そして後7回半！
まるで金庫だな
するとと大迫力の音になる！
なるほど
テレビ局とタイアップで6月から売り出す予定なんだ
そりゃすごいな！
ほら 見てくれ うちの会社の名前が入ってるだろ！日曜日の朝4時から4時5分までの放映だ
感電警察
ハイパーコップ
協力 四米おもちゃ会社
東京13チャンネル
月曜 朝4:00 4:05
スポンサーなし！
よかったな これでお前の会社もメジャーになるぞ！
うでだけじゃなくシリーズで足やベルトもあるんだ！
いっぱいあるな！

すべて合体させるとハイパワースーツになるんだ
両さんにぜひためしてほしい
けっこう重たいけどかっこいいな!
モーターが内蔵されているからね
これが取り扱い説明書だ
ハイパワースーツ
本当に複雑だな
右手を75度にかまえ一回転0.5秒で前方に365回全力でふり回す!
365回もやるのか!?
250回目で今度は右足も10回!

さらに頭の上で パアを出して つま先で立ち
そして 全身を 10回転させる
鉛筆を2本 鼻にさし ザルで前を すくう…
ヒーローとは 思えま せんね…
内側から えぐり込《こ》む ように打つべし!
ほら! きまっ た!!
複雑なわりに なさけない 効果音だぞ!!
そうです か…
初めの365回 というのは 多すぎる!! 子どもが つかれて しまうぞ
各パーツから 音がでるから すごいな!
「ガチョーン」 より「青島《あおしま》だァ」 の方が相手が 参《マイ》るぞ
なるほど
GACHIYON
ハイパワー スーツには ボイスセンサー も あるんですよ
ほう

「きめ」のポーズがあるでしょう あれがカンタンにできるんです
ハイパーファイティング
ハイパーカーニバル
ハイパースルー
ハイパーシェー
ハイパーアタック
どうやって?
叫《さけ》ぶんです! 「ハイパーファイティングポーズ」!!
ウイイン
おおっ 自然に手が動く!
ウイイーン
ピロロロ
なるほど 全身のバネで体を動かすのか
ギュイイーン
ウイイン
10秒たつと自動的に解除されます
これはいいアイデアだ
だれにでもかっこいいポーズがとれるんですよ
よし 今日一日モニターしてみよう!
よろしくおねがいします

き・め・ポ・ー・ズ・とは子どもがよろこびそうなアイデアだ
でも動くたび音がうるさいですね
おっ
見ろ
まるで野球のピッチャーだ!
音質を変化させて…
ピロロ〜
ボールがきた!
ナブラチロワそこをすかさず…
スマッシュ!!
すごい!!
動きに合わせて音が変化するからな!
ゴルフでもなんでもできる

これなら子どもばかりでなく運動不足の大人にも売れるぞ
ぜったいだよ!
よし!ハイパワースーツを改造しよう!!
えっ!?
交通安全
各部のモーターとバネを強化して…
強力なリチウム電池を5個使用する
LITHIUM
見ろ!音まで迫力がでたぞ!
いいんですか?商品を勝手に改造して!
ギュイイーン
改・良・だよ!以前よりよくなった!

ゴルフモードにすれば…
ピロロー
バネとモーターで理想的なフォームに
自動的に矯正《きょうせい》してくれる!
ギギギ
よし!いい音!!
ドカ
すごい力ですね!
思い切りパワーアップしたからな
テニスもこの通り!
うわっ
ギュキ
わははは…これは売れるぞ!!
消火器
あのおやじも大よろこびだ!
はいお茶
おうサンキュー!
コト

もうかったら
わしも なん%《パーセント》か
もらおうかな!
わははは
ギギ…
あちちち
ちいっ
どうした
んです
先輩!?
キュン
キュン
右手が
急に
作動した
んだ!?
あいたた
……
頭さすったら
ゴッドハンドの
スイッチが
入った!
ぐわっ!!
ギギ
ギギッ
頭が割れ
ちゃう!
いててて……!

うぬっくそ!
ギギッ
モーターを変えたからパワーがあるな…
あいててっ
右手が顔面パンチを!!
ピロロロ~
うおっしまった!!
今度は両手でしめつけられる!!
「ハイパーファイティングポーズ」!!!
ふう…!やっとはなれた!
どうしたんです!?
キュロロ~

あいててて
こら止まれ!!
グイイイ
関節が逆に曲がる!!
すごいパワーだ
モーターが少しよう強すぎた
これじゃ拷問《ごうもん》だよ!
危険だからぬいだ方がいいですよ
えーと
オートロックだからな! はずすのは大仕事なんだよ
ハイパワースーツ
まず右手を300回回して…
同時に左手でつきを100回…
そしてうさぎとびを150回だ!
ピョイーン
125 126…
ふう!
これでロックが解かれる…
あれ!?
グググ

おかしいな
さっきは
はずれた
のに…
力が足り
なかったん
じゃないで
すか？
装置の
反応が
にぶく
なったた
かな？
297
298
299
300!!!
144 147
145 148
146 149
……
150!!
あーっ
くそ！
とれん!!
まさか
こわれた
んじゃ…
力ずくで
はがして
やる!!
体の方も
こわれて
しまうぞ！
電池を
ぬいて
しまったら
どうですか

電池ボックスはせなかの内側なんだ
このスーツをぬがないととれんよ！くそ！
ショックをあたえてみるか！
あ!?
な なんだ!?
足がかってに進むぞ！
あぶないぞどけ！
パパーッ
こ こらよせ！
車にひかれるだろ！
よける方にくるな!!バカ!!
わしだっていきたくない!!
ぐわっ

やばい受け身だ!!
うおっ
ぎえええええええ
ガリ ガリ ガリ
ハイパワースーツに遊ばれてるな
ひさんねえ!
数日後
ちょっと馬券を買ってこよう
カシャチュン
カシャチュン

あっ
先輩が!
ダッ
なに!?
ハイパーアタック!!!
ピピ
ぎええええええ
そんな姿で外に出すわけにはいかん!
いててて…きめポーズになってしまった……
ボイスセンサーは性能がよすぎるよ!
ぜい
今度にげたらおしおきをするといったはずだ
「ハリケーンパンチ」だ!!
あっやめて!!
ぐう
あいてぇ~今のはきいたァ!!
ピロロ
キュン
おとなしく派出所にもどれ!

見えない鎖《くさり》に つながれてる ようなもんだな
ハイパー ゴッド ハンド!!
ピピピ…
こ こら!! お前たち よせ!!
あいてて きえーっ
かんべんして くださ〜〜い
部長 おねがい だから はずして くださ〜い
はずし方など わからん!
もう こんな生活 いやだ!
毎日 自分と 闘うのは つかれる!
食事も 睡眠も トイレも 落ちついて できんよ!
やあ 両さん
あっ オヤジ!!
いい所に きた!!
それが 申しわけ ないんだ けど…

そのハイパワースーツはコストがかかりすぎて採算とれなくなってね
けっきょく無可動で安く発売することにしたんだ
それは両さんにあげるよじゃあ
まて!このスーツをはずしてくれ!
先輩が改造してパワーアップした結果ロックが完全にはずれなくなってしまって……
えっ分解したのかい!?
こら!大声を出すな!!
センサーに反応するぞ…いたたたっ!
自動ロックは複雑なんだよ
う〜〜む電池が切れるのをまつしかないな
リチウム電池を使ってるんだぞ!1年以上切れないぞ!
だからいっぱい使ってはやくなくなるよう協力してあげてるんだろ!
ピロロ〜

★週刊少年ジャンプ1989年23号

高給優遇！空飛ぶタコ配便の巻

高給優遇《こうきゅうゆうぐう》!空飛《そらと》ぶタコ配便《はいびん》の巻《まき》

時給一万円ですって!?
わざわざ求人誌を買ってきた甲斐《かい》があった
二日ぶっつづけで48時間働けば48万円だぞ!
くっくっ
しかし3分以内に宅配なんてどうやってはこぶんですか?

そういわれると そうだな… フェラーリで はこぶのかな?
東京の 道路事情じゃ フェラーリや バイクでも ムリですよ!
マラソンじゃ 時間が かかるものね?
とにかく いきゃあ わかるよ!
48万円の ためなら どんな ことでも やるぞ!

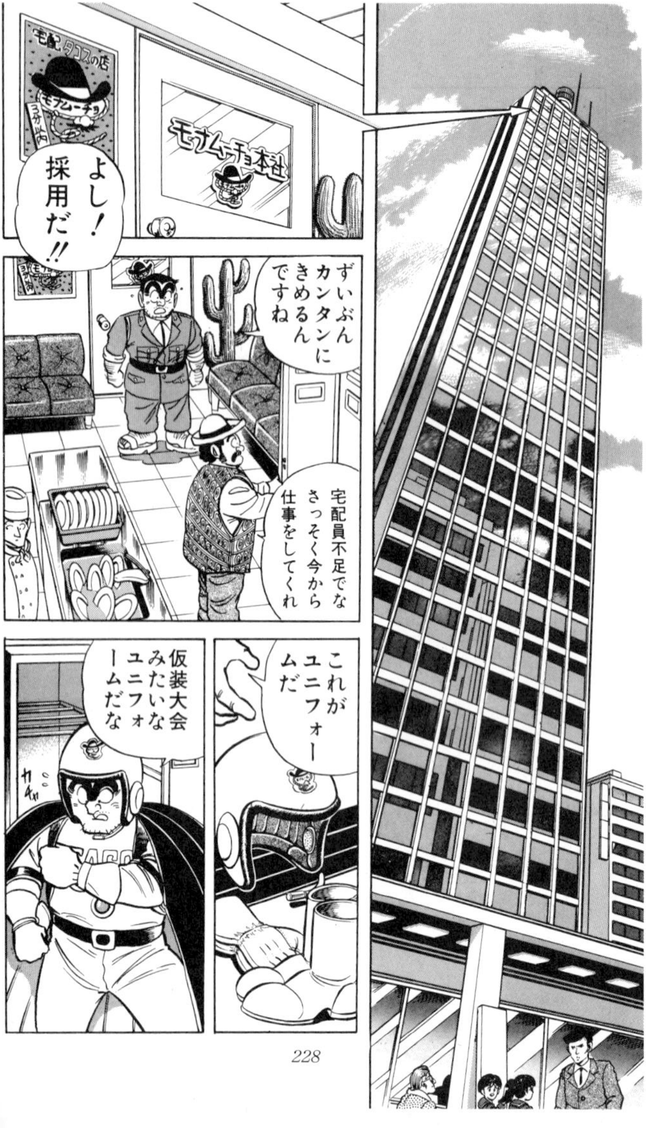
宅配 タコスの店
モナムーチョ
モナムーチョ本社
よし!採用だ!!
ずいぶんカンタンにきめるんですね
宅配員不足でなさっそく今から仕事をしてくれ
これがユニフォームだ
カチャ
仮装大会みたいなユニフォームだな

大塚《おおつか》のボン商事《しょうじ》にタコス3人前です！
よしわかった
しっかりはこべよ！
はい
モナムーチョ
大塚駅近くのこのビルだわかるな
ガチャ
準備OK《オーケー》です
よし！飛び立て!!
いきなりそんなことできるか!!
TEL3分でタコスお届け

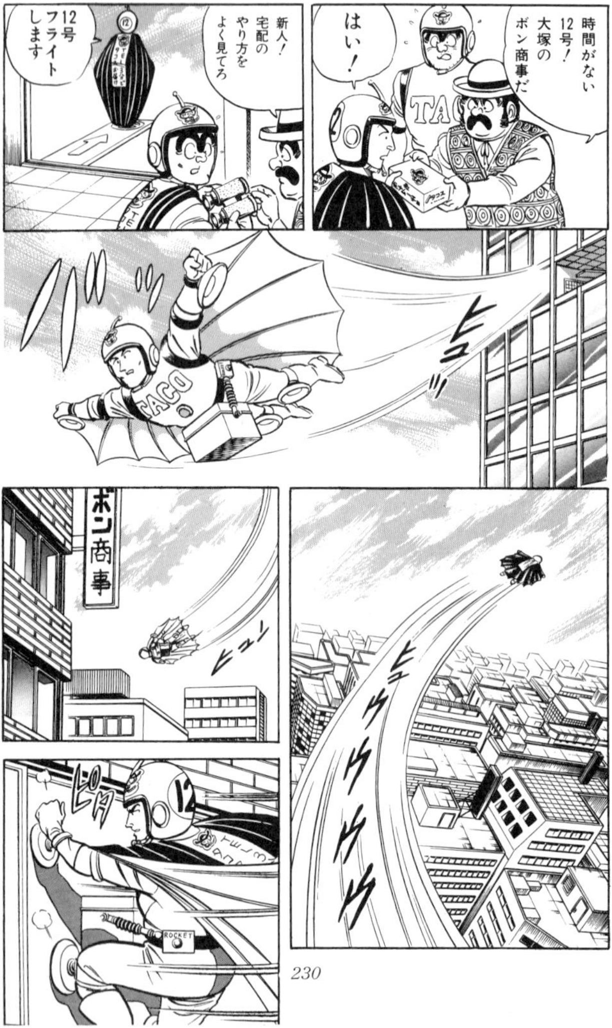
時間がない
12号！
大塚の
ボン商事だ
はい！
新人！
宅配の
やり方を
よく見てろ
12号
フライト
します
ボン商事
ROCKET

タコスをおとどけに上がりました
さすが早いね！
あのように飛ぶわけだカンタンだろ！
う———む…りくつではわかるが…
神保町《じんぼうちょう》の集英社《しゅうえいしゃ》ビル3F《かい》にタコス10人分
OK
靖国通《やすくにどお》りぞいに飛んでいけば看板が見える！
あまり自信がないな…
風力5北北西のいい風です
2分でつくな
初めはあのビルにむかって進むんだ
そうすれば下に靖国通りが見えてくる
こうなりゃヤケクソだいくぞ!!

ぎえええええ
両手を広げるんだ13号!!
な なに!?
おっ
なるほど うまく風に乗れば ちゃんと飛べるな
ハング グライダー みたいな もんだ
ピーコ ピーコ
な なんだ?
のこりあと30秒だ 3分こえると タダになって しまう 早くいけ!
ピーコ ピーコ
そんなこと いったって まっすぐ進むの むずかしいぞ!

方向を目標のビルにむけて腰の赤いレバーを押すんだ
わかった！
集英社
え――と あのビルだ
赤いレバーを押す！
カチ
キラッ
あと5秒で3分だぞ！おそいな！
なんだあれは？

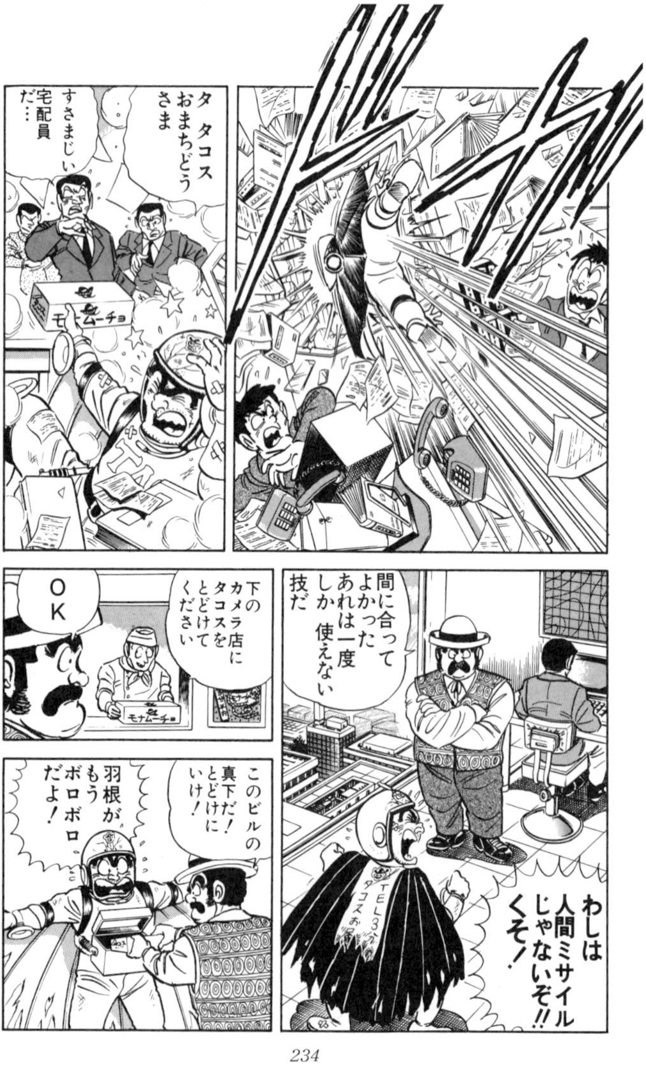
タ タコス おまちどうさま
すさまじい宅配員だ…
モナムーチョ
間に合ってよかった あれは一度しか 使えない技だ
下のカメラ店にタコスをとどけてください
OK
わしは人間ミサイルじゃないぞ!! くそ!
このビルの真下だ! とどけにいけ!
羽根がもうボロボロだよ!

下だから慣性でいける！
ぬお
心配いらん!!
自動的に非常用パラシュートがひらくはずだ！
わわかった!!
非常用パラシュート
くそ
これじゃ時給一万円でも…
一時間 体がもつかどうか心配だな！

空からの宅配サービスとは大変な仕事ですねえ
1日300件も注文があるんだぞフル活動だよ
おかげで10人しかいないメンバーに怪我人《けがにん》続出だよ
風の強い日などビルに体当りしたり新幹線《しんかんせん》の上に落ちてそのまま仙台《せんだい》までつれてかれたりな!
昨日も東京ドームに落ちたやつがいて天上に穴をあけたんだぞ
そんなきつい仕事じゃやめる人も多いんでしょうね
ひとりやめるとそいつの給料がわしらに還元《かんげん》されるシステムなんだ
今5人しかのこってないから時給二万円だすごいだろ!

さあて 引き継ぎも おわったし 仕事に いくか！
この雨の中 仕事する 気なの
悪天候の方が 怪我して 仲間がへる 時給が上がる チャンスだ！
おそろしい 考え方だ
苦境に なれば なるほど 強くなる タイプね
ふう やっと ついた
ズザザザ
うむ ごくろう
風もだんだん 強くなってきたぞ 嵐になりそうだ
こういう 日に限って 注文が多い

目白《めじろ》のトップ社《しゃ》にとどけてくれ10号のかわりに
なに
8 9号につづいて10号も帰ってこないんだ
タフだったあいつもついに力つきたか…
のこるは12号とお前のふたりだけだ
ついに時給五万円の大台にのったぞ!
店長12号が…
なんと!
申しわけありません…も もう限界です…
うーーむとうとうひとりになってしまったか
…てことは
時給10万円!!!

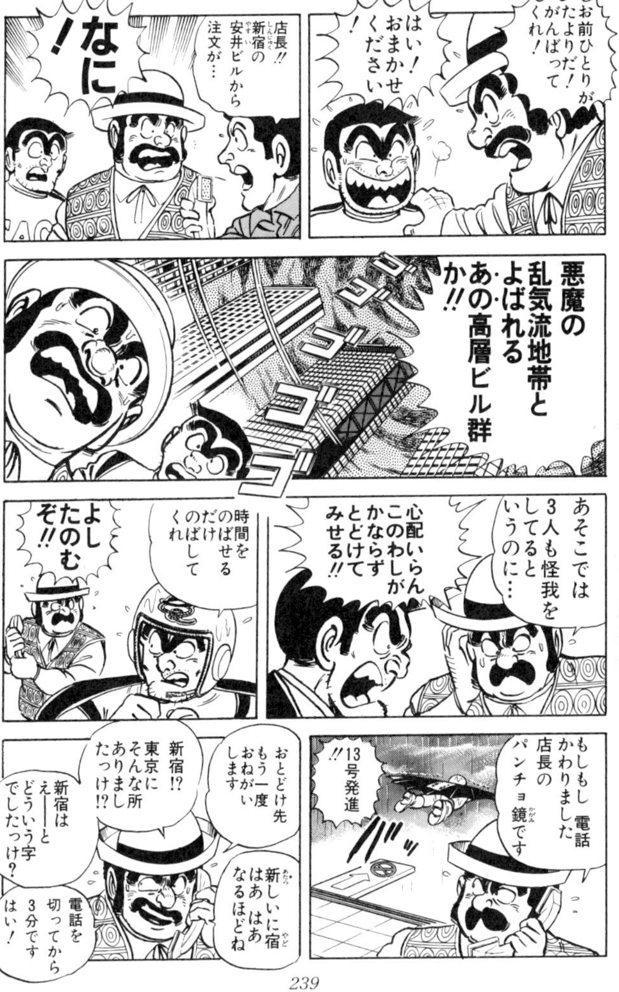
お前ひとりがたよりだ!がんばってくれ!
はい!おまかせください!
店長!!新宿《しんじゅく》の安井《やすい》ビルから注文が…
なに!
悪魔の乱気流地帯とよばれるあの高層ビル群か!!
あそこでは3人も怪我をしてるというのに…
心配いらんこのわしがかならずとどけてみせる!!
時間をのばせるだけのばしてくれ
よしたのむぞ!!
もしもし 電話かわりました店長のパンチョ鏡《かがみ》です
13号発進!!
おとどけ先もう一度おねがいします
新宿!?東京にそんな所ありましたっけ!?
新宿はえ——とどういう字でしたっけ?
新《あたら》しい宿《やど》 はあ はあ なるほどね
電話を切ってから3分です はい!

なんとか5分かせいだ ふう…!
なんとまたか!
ルルルルル
ピンポーン
コノ電話ハ現在使ワレテオリマセン モウ一度確カメテ…
うおおおおお
キイイイイン
ダッ
うわ!!
ゴオオオオ
乱気流がすごくて近よれない!
とんでもない地帯だな!!

しまった!
タイム
リミット
あと30秒だ!!
こうなりゃ
最後の手段!!
ちがう!!
となりの
ビルだ!!

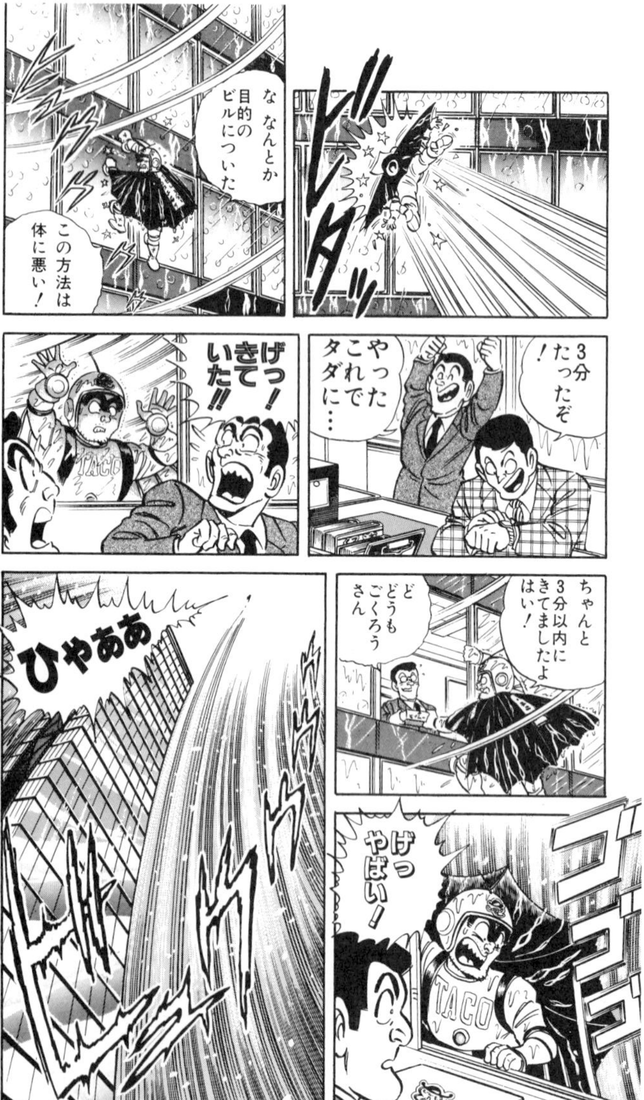
ドドドダッ
ななんとか
目的の
ビルについた
この方法は
体に悪い！
3分
たったぞ
！
やった
これで
タダに…
げっ！
きて
いた!!
ちゃんと
3分以内に
きてましたよ
はい！
ど
どうも
ごくろう
さん
ひやああ
げっ
やばい！

けっきょく太平洋《たいへいよう》まで飛ばされ大島《おおしま》の近くに落ちて3日間漂流してたよ
それでその会社つぶれてしまったんですか?
せっかくの高給バイトつづければいいのに
あまりにもハードすぎるよ
当然だよ唯一の宅配員がやめたんだから
ここにいたか! さがしたぞ!
あっ モナムーチョの店長!!
今度は下水道を使っての「地下タコス宅配」を始めたんだ! 今度は安全だからぜひきてくれ!
もういいよ! 命までかけてバイトをやりたかない!

★週刊少年ジャンプ1989年16号

わが町・上野の巻

夜勤明けのドライブは気持ちいいですね！
おう！少し はらへったな
上野で高速おりて何かたべようぜ あそこなら知ってる店が多い！
いいですね 朝食にしましょう

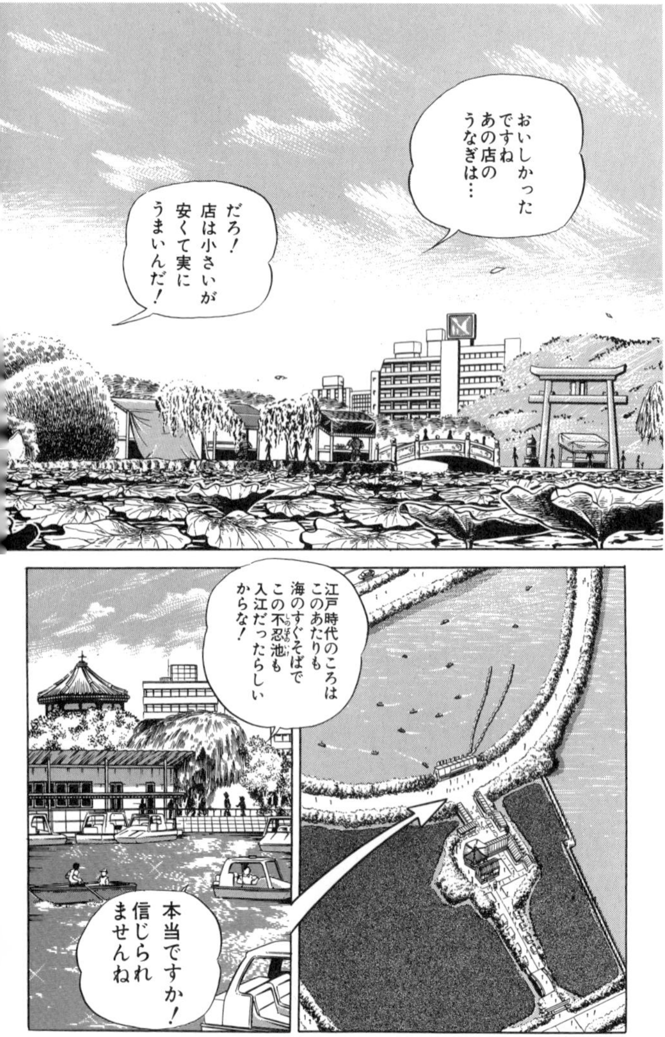
おいしかったですね あの店のうなぎは…
だろ! 店は小さいが安くて実にうまいんだ!
江戸時代のころはこのあたりも海のすぐそばでこの不忍池《しのばずのいけ》も入江だったらしいからな!
本当ですか! 信じられませんね

わが町・上野《うえの》の巻《まき》
元もと東京は湿地帯《しっちたい》で川だらけの土地だったそうだ
浅草海苔《あさくさのり》という言葉ものこってるくらいだからな
それにしても先輩は上野のいろんな店を知ってますね
上野にはガキのころからよくあそびにきてたからな
ボート場

御徒町《おかちまち》に 吉池《よしいけ》ってデパート あんだろ！
そこへ うちのつくだにをおさめてたんだ 小学生のころ おやじの自転車にのせられて よくきた！
吉池に つくだに屋の支店をだす計画だったらしい！
へぇ！ すごいですね
ところが その資金を じいさんが競馬に つぎこんでパアにしちまったんだ おまけに おやじの使いこみまでばれて 家中大騒ぎだよ！
おふくろに問いつめられて じいさんや おやじの浮気まで発覚しちまってな 両津家滅亡の危機になったことがある
それは大変でしたね
支店をだすどころじゃないですね
あったり前だよ
ばあさんは包丁をもって 浅草寺《せんそうじ》まで じいさんを追いまくるし
おやじも おふくろに追われて 六区《ろっく》を逃《に》げまわり 最後には 吾妻橋《あづまばし》から隅田川に とびこんで逃げた！

壮絶な夫婦《ふうふ》喧嘩《げんか》ですね
うちではその出来事を両津家の乱とよんでいる
先輩はその時どうしてたんですか?
どうもこうもないよ おふくろやじいさんたちが家をとびだしてひとりっきりだからな!
しかたねえから外へパチンコしにいったんだ よくでたぞ
小学生なのに…けっこうたくましく生きていたんだ……
うちの町内じゃ毎日どこかで夫婦喧嘩があったから いちいち動揺なんかしてらんないよ!
けっきょく支店どころか本店の経営もあぶなくなってきたからな! 吉池支店は幻で終わったんだ
ざんねんでしたね 支店がでてれば先輩は支店長になれたのに…

どうしたんです？
いまだに焦《こ》げ跡《あと》がのこってら！
なんのことです？
ガキのころこの弁天堂《べんてんどう》を丸焼けにするところだったんだ
え!?
自転車で不忍の池一周レースなんてのをやっててな同級生10人で！
わしと友だちの自転車がクラッシュして不忍池にとびこんじゃってな！

自転車や体に蓮《はす》の茎《くき》がからみついてはいだすのにひとくろうだよ
おまけに12月でさむくてな！弁天堂のわきでたき火してかわかしたんだ
その時だれかが石油カンを見つけてきてな！
たき火にかけたんですか？
そのとおり！いきなりもえあがって火が弁天堂までもえ移ったんだよ！もう全員で靴《くつ》で池の水をすくってかけまくった！
火事おこしたら全員 新聞にのってしまうという恐怖感があったからな！
火が消えたころは10人とも水びたしだ！よく消し止めたもんだよ
一歩まちがったらあの弁天堂はなくなってたんですね…
そういうことだ！

上野の山で だんごでも たべよう
先輩の昔話は ダイナミックで ぞっとする話 ばかりですね
だんご
おでん
だんご おでん そば・うどん カレーライス
植木市や納涼《のうりょう》大会 なんかに よくいってな 不忍池全体に ちょうちんが並んで 夜がきれいなんだ
おさな心に 池のまん中に建ってる 弁天堂が神秘的に 感じてな すごく 印象にのこってる
子どものころって 神社とか神秘的で なぜか こわいんですよね バチが当たりそうな 気がして!
そうなんだ! しかし それも 小学校の 1年生まで だな!

2年生になると迷信など信じなくなるからな！
こま犬にのるわ さい銭箱に 2B弾《ビーだん》入れるわ 鳥居《とりい》にしょんべんひっかけるわ バチ当たりし放題だよ!!
あっ そうだ！
せっかくきたからアメ横《よこ》で酒のつまみを買いだめしてくる つき合うか？
いいですよ
アメヤ横丁
アメ横

アメ横
すごい人出ですね
すいてる方だぞ！大みそかはまっすぐ進めないほど人が集まる！
ちょっとそこでまってろ買ってくる
あっ先輩!!
上野はあまりきたことないからな動くと迷子になりそうだ
おら！兄ちゃんどいた！どいた！
ちょっと通してもらうよ！
北海漁業 さけ
おい！そんな所にぼさっとしてるな！どけ！
すごい活気だな！
お客さんお客さん

どう!このカニ!五匹で5,000円だ!!もっていってよ!
人とまちあわせしてるんですよ!
いいからたべてみてよお兄さん
そうですか!
うん!おいしい
よしきまった!まいどあり!
五匹で4,500円でいいよ!サービス!!
あの…ぼくは…
ケチなこといわないで!よし!4,000円でいい!!
あれ?中川のやつどこへいったんだ
ここでまってろといったのに!

やっと見つけた！先輩!!
なんだお前も買い物してたのか！
気がついたら買ってたんですよこんなに！
しょうがねえやつだな！まったく！
食品
プリマハム
くすり
アメ横で買い物をする時には気合いを入れて行動せんといかんぞ！
意志を強くもってな！
フラフラしてるからそういうことになるんだ
しかし本当は店とのやりとりがおもしろいんだが…
ん？
タコいかがっすか！タコ！
タコ1匹
一匹100円
もっとまじめに売れ！

あっ！両《りょう》さんか！
お通夜《つや》だなまるで！そんな商売してたらタコが一匹も売れんぞ！
お前こないだまで甘栗《あまぐり》売ってたんじゃないのか？
クビになっちゃったんですよ！
とうもろこしやたこ焼きなどたべ物は技術も必要で大変なんですよ！けっきょく一番楽なおもちゃで…
どの世界にも落ちこぼれがいるんだ！
だいたい場所が悪い！ここは！
えっなぜ？
一匹100
アメ横《よこ》はプロが集まってる！ようく見ろ！
まだだめか！
500円!!
「啖呵売《たんかばい》」ってのはあのように啖呵《たんか》を切って売るんだよ どんな品でも客に納得させて買う気をおこさせる！
客は売り手にほだされ気《き》っ風《ぷ》のよさについ金をだしてしまうんだ！
タコ1匹100円

お前みたいな売り方じゃ全部客をもっていかれちまうよ！
じゃあ場所を変えようか？
お前などどこへいっても同じだよちょっとどけ
売り方をおしえてやる！
制服姿じゃちょっとまずいからな
上着だけぬごう！
バッ
そこのお兄さん！あんただよそう！
時間とらせないからちょっと見ていってよ！
世にも不思議な生きているタコぼうず
たべ物をやらなくても10年間は生きつづける!!
がや
がや
がや
がや
一匹100円
ほんと？
ほら　このとおり！
ピタ
どんな高い所でも吸盤をくっつけておりるというえらーいタコ！
クネ クネ
すげー
お！
お！っ

ごらんください！
タコの世界のオリンピック100m《メートル》!!
ピタ ピタ
一番速いのはタコに似てるベン・ジョンソン君
わははは
一匹くださいい！
はいはいどれでも好きなタコえらんで！
器量《きりょう》が悪い方が速いよ!!ほんと！
お客さん！そのタコはこのタコのダンナさんだ！二匹まとめて買ってやらないと気の毒だよ
あははわなは
まいったな！
100
お父さん！タコそっくりだね！同類相《あい》あわれむで買ってよ！
ははは
大きなおせわだ
タコさん一家五匹まとめて400円！
はいまいどあり！
ガヤガヤ
ガヤガヤ
客の流れが変わってしまった
さすが両さんだ警官にしとくにはおしい！
道をまちがえたんですよきっと！

出口はこっちでいいんですか
中川近道をいこう
焼豚
ロースハム
ベーコン
お店の中ですよそこは!
大丈夫なんだって入れるんだよ
洋品
(株)オチアイ
中をぬけた方が速いんだよ
いろんな道を知ってるな!
あっ麗子!
あら両ちゃん!

なんでお前がこんな所にいるんだよ！
外国の化粧品やシャンプーがすごく安いのよ
月に一回まとめ買いにくるの！ここは種類もたくさんあるし
金持ちのくせにそういう所はしっかりしてるな！
赤坂《あかさか》や青山《あおやま》ならともかく上野で麗子にあうとは信じられん
そうかしら
う～～む
圭《けい》ちゃんもたくさん買ったのね
いや！これは！
こいつバカだからアメ横の活気で買わされちまったんだよ
まあはじめてだからしかたないが…
そこへいくと女はしっかりしてるからな買い物には！
ムダな物はぜったいに買わん！
おじょうさん！
安くしますよ！
けっこうです！
当然よ！そんなことは！

御徒町駅
(北口)
OKACHIMACHI STATION
すっかり両ちゃんに上野を案内してもらっちゃったわね
夜勤明けで先輩もつかれたでしょう
全然元気だよ
あそんでる時はいつも元気100倍だ!
谷中《やなか》や根津《ねづ》の方も下町ムードの町がたくさんのこってるぞ
車ですぐだからちょいといってみるか!
YAMAMA YONEX FAIR
わしのガキのころ遊んだ所ばかりだからなつかしい
先輩!!ぼくたちのおごりでのみにいきませんか!
なに!

いつも先輩にはおせわになってますから！お礼をしますよ！
やった！本当にいいのか!!
じゃ浅草へいこう！
浅草にいい店があるんだ!!
いやあもつべきものは部下だよはははは
今日は徹夜でのもう！
いやあいい休日になったな君たち！

★週刊少年ジャンプ1988年51号

想《そう》像《ぞう》力《りょく》漫《まん》画《が》の巻《まき》

《マルチ顔パターン表》

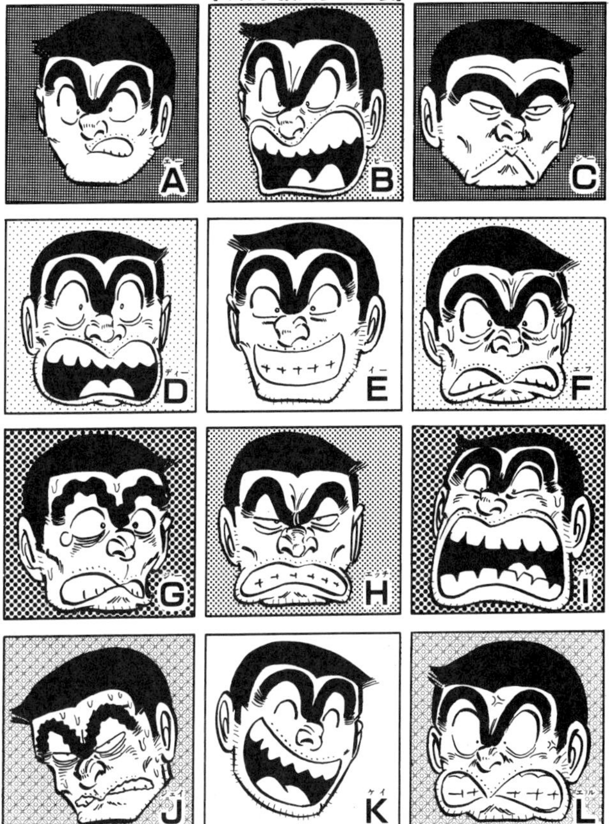

⬆上のA～Lの顔パターンの両さんを3分間見つめ、記憶してからお読み下さい。

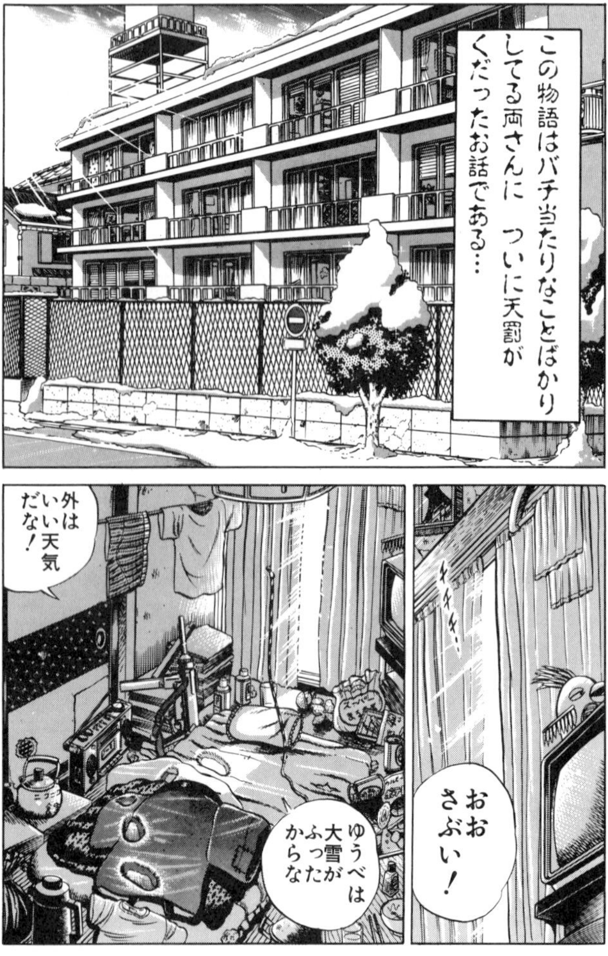

この物語はバチ当たりなことばかりしてる両さんに ついに天罰がくだったお話である…
チチチ…
おお さぶい！
外はいい天気だな！
ゆうべは大雪がふったからな

↓顔パターンC参照

↓顔パターンD参照

↑顔パターンD×I参照

↑顔パターンL参照

考えるのはあとだ!
ガチャッ
うわっ
ドドドド
いたっ
なんだ今のは?
ドドド
どけ
わからん?
また部長たちをおどろかせてしまうな!
ガチャ
おいどけどけ!!
シャー
うわっ
シャカ
シャカ
ガッ
シャカ
今の声は両さんじゃなかったか?
声はするが姿が見えん
キキィ

↓顔パターン1参照

↑顔パターン1×2を参照

↑顔パターンF参照

↑顔パターン(B＋G)÷2を参照

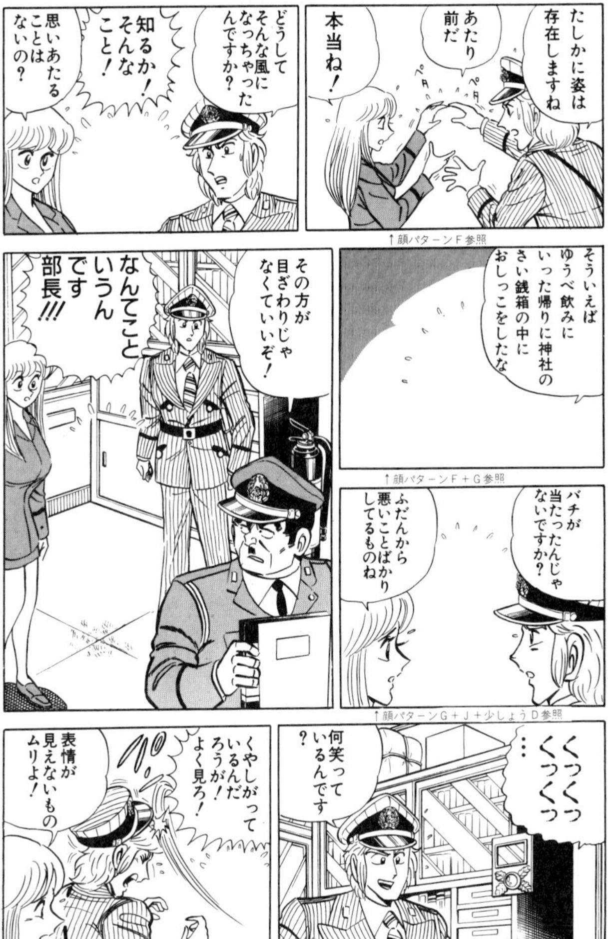
たしかに姿は存在しますね
あたり前だ
ペタ ペタ
本当ね！
どうしてそんな風になっちゃったんですか？
知るか！そんなこと！
思いあたることはないの？
そういえばゆうべ飲みにいった帰りに神社のさい銭箱の中におしっこをしたな
バチが当たったんじゃないですか？
ふだんから悪いことばかりしてるものね
その方が目ざわりじゃなくていいぞ！
なんてこというんです部長!!!
くっくっくっくっ
…
何笑っているんです？
くやしがっているんだろうが！よく見ろ！
パ
表情が見えないものムリよ！

↑顔パターンF参照

↑顔パターンF＋G参照

↑顔パターンG＋J＋少しょうD参照

↑顔パターンB＋アセを少しょう

10年も わしと
つき合って
いるくせに
おこってるか
笑ってるかも
わからんのか！
どういう
顔をして
いたの？
まったく
もどかしい
やつらだ
このように
だな
こういう
表情を
してたん
だ！
こういう
なるほど
なるほど
じゃない！
心眼《しんがん》で見る
努力を
せんか!!
グイッ
はは
はい
いいか
よーく
見るん
だぞ
笑うぞ!!
ニカッ
見えた
か？
見えた
気がした
ね!?
麗子さん!?
ええ！
ほんの
少し！
今度は
おこる
からな
はい
↓顔パターンF＋(こまった顔20ｇ)

↑顔パターンH＋Dの口

↑顔パターンE⁵参照

↑顔パターンCの口をあけた顔

くわっ
今のはたしかに見えた!ね!?
そ そうね
本当か!?
↑顔パターンH×H×H×H^{100}参照
今度の表情《ひょうじょう》を当ててみろ!
はは はい
えーと…どう表現しようかしら?
笑っているよ!ほら歯がくっきり見える!
わしはうしろだ!バカモノ!
パコっ
あ!? ずるい!
ちょっとこい!!お前ら!!
ガバ
きゃあ
あいた
ギュッ
↑顔パターン(D+F)÷2を参照
↑顔パターンA参照(口はB/)

↑顔パターンJ+(Iを少しょう)参照

↑目はH 口はB全体的にはL

↑顔パターンF−G参照

↑顔パターンG^2+(マイッた表情)

↑顔パターンF参照

↑顔パターンD＋Ｉ＋√F参照

おとなしく派出所で仕事をしろ！
あいた！
あーーっ これか!? ポテトチップでわかったんだ！
やることがきたね〜っ
パリ
パリ
きゃあ
あいて
げっ
あちちちち！
やかましいやつだ！じっとしてられんのか！
じっとしてたら頭をけとばされたんですよ
下にいるとは思わなかったわ
あいつつ！動くとろくなことがない！
椅子にすわっていよっと！
ギシ

↑顔パターン(B＋I＋L)÷3を参照

↑Iの100倍＋(D×D)参照

↑顔パターンC×I＋F参照

両津！この書類を署までとどけろ！
ピク
ギシ
あっ!? 先輩はすでに逃げましたよ！
しっ！
↑顔パターンC参照
ここだ！
ガッ
あっ
↑顔パターンD参照
ど　どうしてわかっちゃったんです!?
だてに20数年上司をやっちゃいないぞ！お前の動きは読める!!
↑顔パターンG＋Ｉ＋(汗いっぱい)
首にすずをつけておいた方がいいな
まいったなあ…
チリーン
↑顔パターン(Ｇ＋Ｊ)÷２を参照

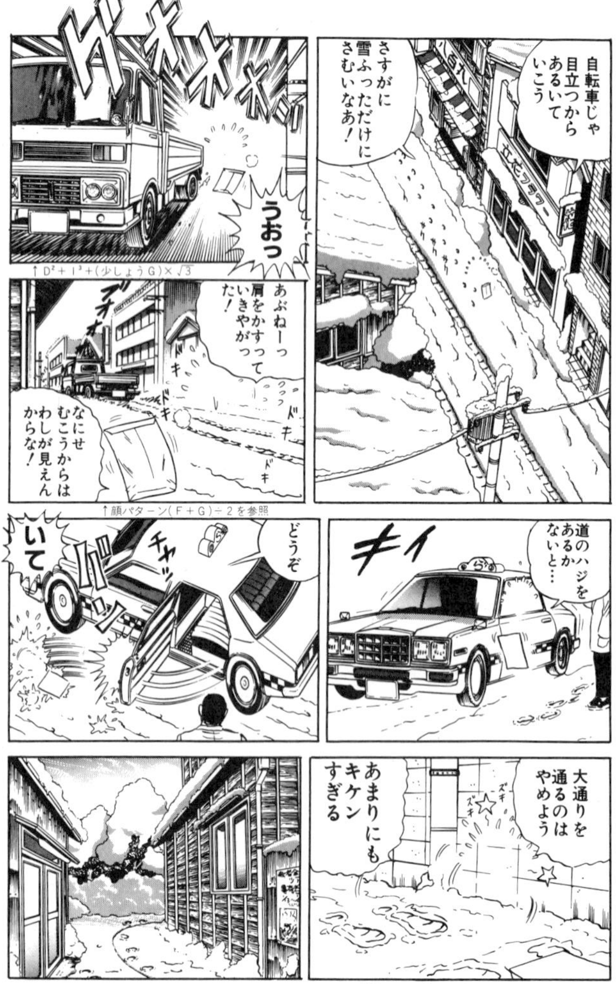
自転車じゃ目立つからあるいていこう
さすがに雪ふっただけにさむいなあ！
ゴオオオオ…
うおっ
あぶねーっ肩をかすっていきやがった！
ドキドキ
なにせむこうからはわしが見えんからな！
キイ
道のハジをあるかないと…
どうぞ
チャッ
バン
いてっ
大通りを通るのはやめよう
ズキズキ
あまりにもキケンすぎる

↑D^2+I^3+(少しょうG)$\times\sqrt{3}$

↑顔パターン(F＋G)÷2を参照

↑顔パターン(G＋J)÷2を参照

うら通りは雪がのこっているなあ…
おかげで車が少なくていい
サク サク サク
人通りも少ないし!
ここなら安全だよ
サク サク
うわっ
ジャアアーーッ
ズボ
ぐふ
大丈夫かよ!
石がでていたのかな!?
くそーーっ大雪がふるとすぐスキーを始めやがって!
とんでもねえ連中だ!
↑顔パターン(L+G)÷J参照
遠回りになるがむこうの道を通ろう!
むこうならだれもいなそうだ
全然足あとがないよいしょっと
すごくだだっ広い所みたいだぞ!
サク サク サク

ぬおっ

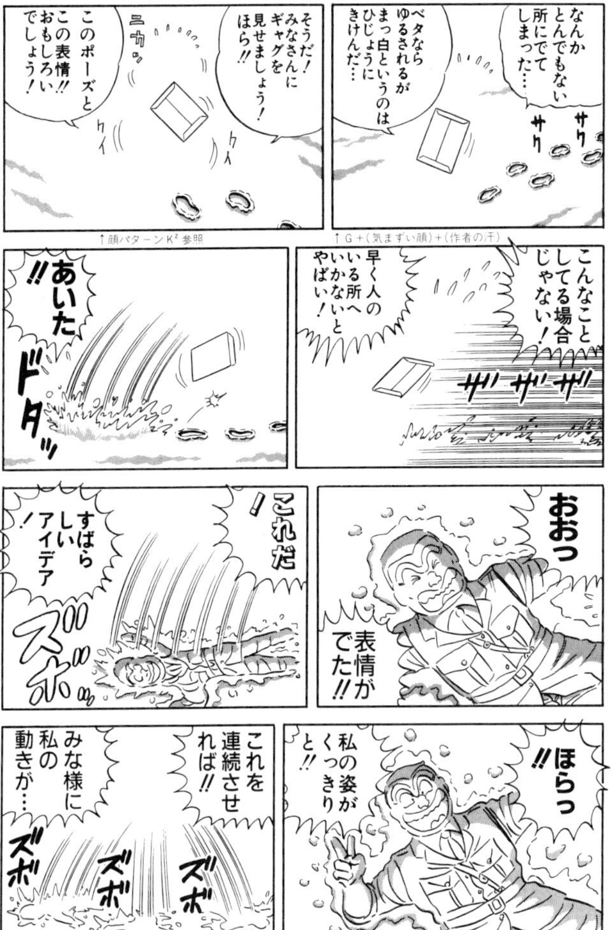

なんかとんでもない所にでてしまった…
サク
サク
ベタならゆるされるがまっ白というのはひじょうにきけんだ…
そうだ！みなさんにギャグを見せましょう！ほら!!
ニカッ
クイ
クイ
このポーズとこの表情!!おもしろいでしょう！
↑G＋(気まずい顔)＋(作者の汗)
↑顔パターンK²参照
こんなことしてる場合じゃない！
早く人のいる所へいかないとやばい！
ザザザザザ
あいた!!
ドタッ
おおっ
表情がでた!!
これだ!
すばらしいアイデア!
ズボ
ほらっ!!
私の姿がくっきりと!!
これを連続させれば!!
みな様に私の動きが…
ズボ
ズボ
ズボ

すばらしい芸術だ!!
これこそ体の表現《ボディーランゲージ》とよべる!!
うひょっ体も冷えてきた!
この技は長いことできない
ぶる
ぶる
ぶる
ぶる
ラストに!!
ザン
ダダダダッ
フィニッシュの姿を雪に!
ドボォ
こえだめの中に着地してしまった…気持ち悪い!
プ〜ン
ここは畑だったのか…ちくしょう!
積雪
スリップ注意
やさしく走ろう
TOKYO

↑ $\sqrt{G^2+J^2}$をもっと気の毒にした感じに近い!

➡㊟と顔パターン表を見比べながら、もう一度楽しんでネ！

↓顔パターンB×G×J×Kを参照

↓$\{(A+B)^2+(F+G)\times H\}\times(J+K+L)<$両さんの心境＝表現は到底不可能です！

★週刊少年ジャンプ1989年9号

ハード!!の巻《まき》

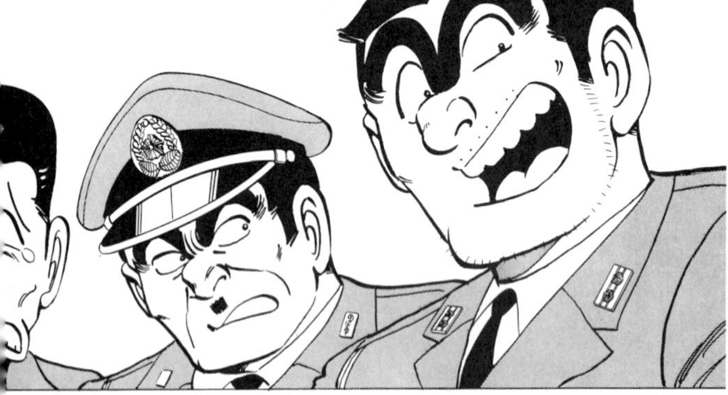

スカイビル50

ここが有名なスカイバイキングかさすがにこんでるな
ガヤ
ガヤ
一万円で世界の高級料理が食べ放題ですからね

あいたた…ハラがへりすぎていたくなってきた…
5日間も水だけでよく体がもつよまったく!

合計6%の税金がついてしまう(税別の場合)。

バイキング・
すべてこの日のためです 一万円でかならず10万円分は食べてみせます
制服でくるんじゃない!
10万円
消《しょう》費《ひ》税《ぜい》等《とう》が※くわわり お一人様1万600円です
きったねぇな〜〜っ どこが一万で食べ放題なんだよ!
目標
消費税分もしっかりと食べてやるからな!おぼえとけよ!!
うおおおおお
こら!しずかにしろ!両津!!

※一人一回の飲食代が5,000円を超えると、消費税3%に、さらに特別地方消費税3%が加算➡

世界各国の名物料理がこのフロアーにございます！
時間制限はございませんごゆっくりお召し上がりください！
とらないんですか先輩!?
急に多くの食べ物を見たから気持ち悪くなった
本当にもう！
おえ～～
一方ビル35階にある火力発電所では
だめです！とても消火不可能です!!
ゴオオ
火事です！ビルの住民を避難させてください!!

あーびっくりした！
食べ物恐怖症になったら元も子もない！
ずいぶん大もりね！
当然!!
いちいちとりにいく時間がもったいない
さあ食べるぞ!!
トイレいっしょにいってくださいよ！
ガーン
女みたいなやつだなお前は
おねがいしますよホテル広くて迷いそうで…
バイキングでは「いい物は はやくなくなる」これが「掟《おきて》」だぞ！さっさとしろよ！
なに!?火事だって!!
キャーッ

皆さん ただ今 35階の 火力発電所から 出火しました!!
火力発電所だって!?
なんでそんな物が?
ガヤ
ガヤ
ガヤ
ガヤ
大変なことになってしまいましたね
われわれも協力して誘導しよう
落ちついてエレベーターに避難してください!
順番に並んでください
ガヤ
ザワ
ガヤ
ガヤ
ガヤ
皆さん全員ちゃんと乗れますから
先輩の姿が見当たりませんが…
あいつのことだ いの一番ににげたはずだ

もう全員避難したようです
よし! われわれもおりよう
このエレベーターは閉鎖する
まるで迷路みたいなホテルだな
おかげでずいぶん時間くっちまった
さあ急げ! はやくしないと食い物がなくなっちまうぞ!!
あっ!
あれっ!?

なんだ!? だれもいなくなっちまった 皆《みんな》帰っちまったのかな?
本当だ
ITALY
JAPAN
まあ いいや 今のうちだ 食べるぞ
U.S.S.R
目標10万円
やったぁ! とり放題だあ!!
ばかもの! 寿司《すし》はごはんでおなかがふくれるだろ
ここはいい肉を使ってるから肉中心に食べろ
中華もいかん! 油と しつこい味つけで すぐにのどが乾くぞ!
フォアグラのような高価な物から食べろ!!
なるほど
さすが先輩はバイキングになれてますね
この一皿で5,000円分はあるぞ!
がははは

えっ!先輩と本田さんがいないんですか!!
どこにも見当たらん
そういえばふたりでトイレにいったような気がしたけど……
じゃあまだあの中に!?
こりゃえらいことになったぞ!
なんか窓の外が煙っぽくないですか
そういえばそうだな
目標10万円
外でアトラクションでもやってるんだろ
ピーピー
そうかもしれませんね
まったく楽しい食事の時間にうるさいなぁ
はい!もしもし?
あっ部長ですか
どうしたんです?先に帰っちゃって

えっ!?このビルが燃えてる!?
目標10万円
そのビルにのこってるのはお前らふたりだけだ!!
皆は もうとっくに避難したんだ!!
本当だあっすぐ下まで火だ!!
10万円
きゃあ!!
ふたりとも落ちついてこれからいうことを聞きなさい
えっ?
目標10万円
エレベーターはすべて止まっていて もう使えない!
こちらから救出に向かうまでまってなさい
なるほど全然動かん!
10万円
オロ
オロ
ひえ~~~っ閉じ込められたあ!!

よし ちょっと まってろ!
目標10万円
まず 消火器を 確保してと
目標10万円
ビ
非常ボタン
ウイイイイン
ウイイイイン
ウイイイイン
何するんですか!?
防火シャッターを しめれば とりあえず 火は入ってこない 食事のつづきだ
こんな状態で まだ食べるん ですか?
目標10万円
わしは10万 円分食べる つもりで きたんだ!!
どんな ことが あっても 食べるぞ!!
10万円
いやぁ このロブスター おっきくて おいしそー!
よく 食べる気に なりますね
目標10万

スカイバイキングビル火災現場から生中継です
中にはまだふたりのこっています!!
ただ今ふたりをキャッチしました
なんと食事をしています!!
うおっ!
爆発した!!
両津め笑顔で食べてるぞ
先輩は物事に動じない性格だから
なんだ!今の衝撃は!?
ひえーっこわいよ!!

部長 まさかわれわれを砲弾でねらってるんじゃないでしょーね
なんです今のは!?
2階下のガソリンスタンドが爆発したんだ
なんでビルにそんな物があるんですか!!
火の回りがはやくなってきたぞ!はやく食え!!
食べられませんよ〜
バクバク
うわっエアダクトから煙が!
だからはやく食えよ
モゲ モゲ モゲ
うおっ
ひいいっ
くそ〜っうるさいなもう!
シュウウウウ
これでよし!
ゴトン

きゃあ 防火シャッターが！
いちいち騒ぐんじゃない！
落ちついて食べられんまったく！
あっ 消化液がなくなった
ひえーっ もう駄目だあっ!!
調理場に何かないか？
おっ いい物があった
本田 スープをじゃんじゃん持ってこい！
はい！
よしっ これで最後だ！
はい！
それっ!!!

ゴオオオオ
ばか！これは油だ!!
ひえええっ
もう知らん！ほっといて食べよう
まだ食べるんですか？
あちちち……！
すごい熱気だ!!
テーブルを端の方に避難させよう
ズズッ
ズズ…
うええん はやく助けがこないかな！
おい両津聞こえるか!?
救出用ヘリが屋上へ向かった
屋上へいけ！

くそ!まだ全部食べてないのに
ドッドッドッドッ
やったぁ助かったぁ!!
何をする気ですか?
食べられん分持っていくんだ
ポケットにはキャビアを!
ザラザラ
よしこれできっちり10万円分だ!!
そんなかっこうでにげる気ですか!?
ズボンにはエスカルゴを!
ジャラジャラ
この火の海の中を通りぬけるぞ!!
燃えちゃいますよう!!

ズポ
このシーツを身体に巻きつけろ!
身体中がカレー臭くなっちゃいますよう
よーし突破だあ!!
ひえ〜〜〜っ!!
ダ
ちょっとまて!
ピタッ
ええ!?
消費税分のデザートを持っていく
はやくにげましょうよう!
熱気でこれ以上近づけん!
そこから飛び移れ!!
バ
バ
バ

本田先にいけ!!
ぼくにはできません!
じゃあわしがやってやる!
ひゃあ
ぎゃあ!!
それっ
よしっ
その荷物はおいていけ!!
だめだ!
死んでも持っていく!!

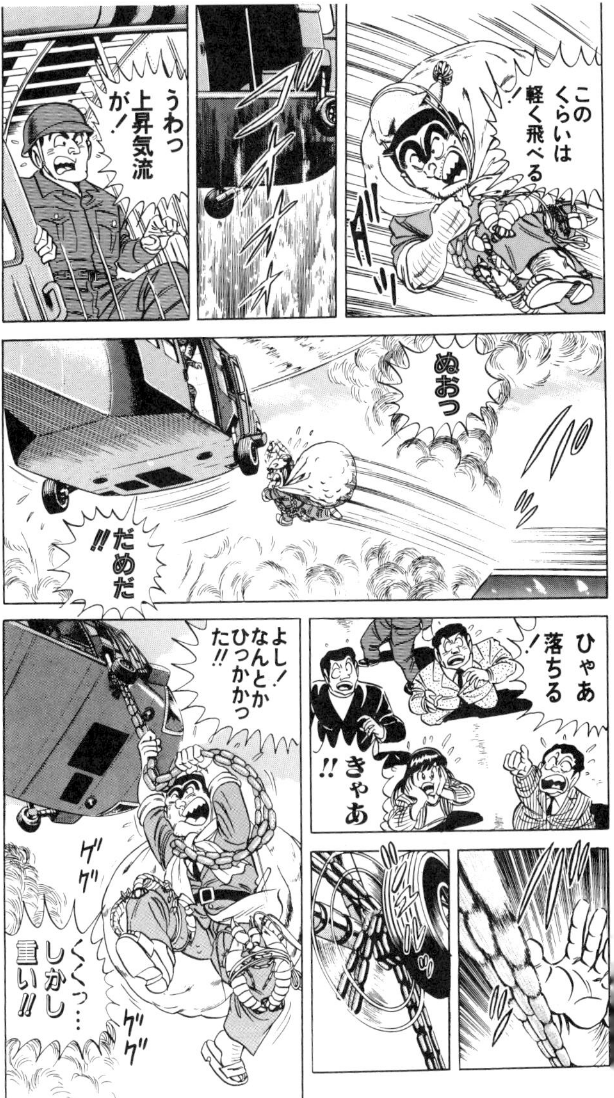
このくらいは軽く飛べる!
ダッ
うわっ上昇気流が!
ぬおっ
だめだ!!
ひゃあ落ちる!
きゃあ!!
よし!なんとかひっかかった!!
ググ
くくっ…しかし重い!!
ググ

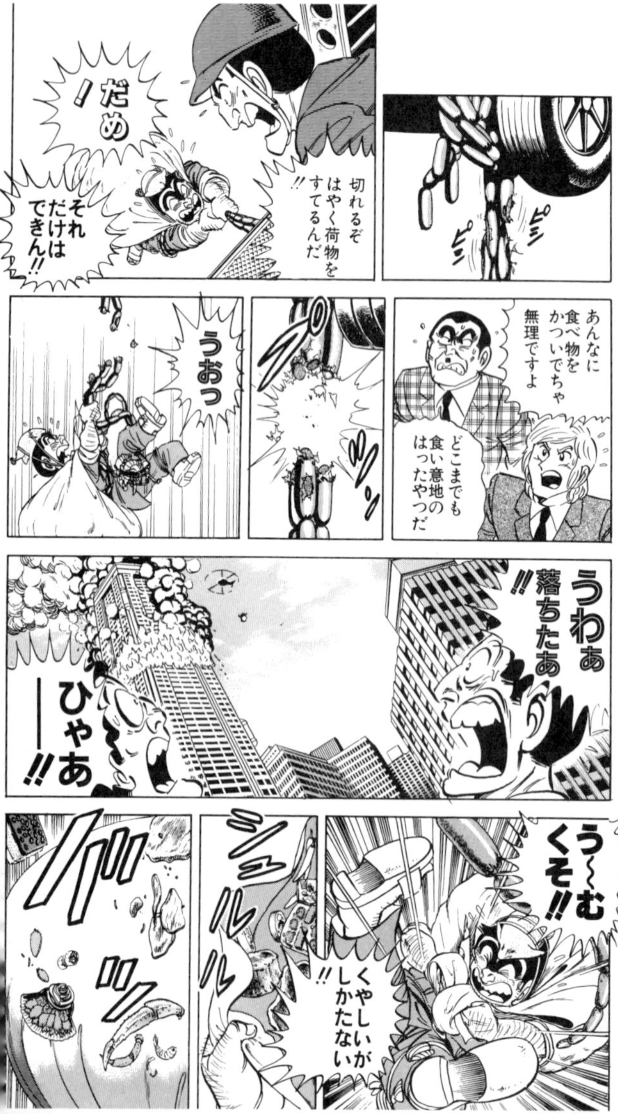
ピシ
ピシ
切れるぞ はやく荷物をすてるんだ!!
だめ!
それだけはできん!!
あんなに食べ物をかついでちゃ無理ですよ
どこまでも食い意地のはったやつだ
うおっ
うわぁ落ちたあ!!
ひゃあ——!!
う〜むくそ!!
くやしいがしかたない!!
シュル
ル

おっ!! 凄い!
助かった!!
いやぁ よく助かりましたね!
まさに奇跡だ!
ううう… 悔しい!
エスカルゴまでこなごなになってしまった……!!
せっかく苦心して持ってきたのにみんなバラバラになってしまったぁ~~!!
まだ一万円分も食べてないのに~~~!!
この男は命より食べ物の方が大切らしい
うわあああああん
ひいいいい
びええ
ドンドン

★週刊少年ジャンプ1989年22号

歯《は》無《な》しにならない話の巻《まき》

歯《は》無《な》しにならない話の巻《まき》
よく歯がおれませんね
子どものころから歯は丈夫だからな！
最高一分間でビールのフタを6ダースあけた記録がある

72本も!?
酒屋の兄《アン》ちゃんがやってみろといってな
ゴクゴク
さすがにびっくりしてたぞ
3本まとめてあけたこともある
せんぬきより早いぞ!
コン
ちょっと歯を見せてくれる?
いいとも
タネもしかけもないぞ
ちょっと手をかしてみろ
え?
グイ
うぬっ
きゃあ
あっ
ダイヤが!!

わははは
見たか!
ダイヤモンドより
かたいんだぞ
お…
おそろしい
歯だ…
ひどい!
半分になっ
ちゃった…
もっとやって
見せようか?
おっ
この釘《くぎ》を
歯で引きぬいて
みせよう!
無茶
しないで
ください!
このくらい
朝めし前だ!
見てろ
ガキ
うぬ!
けっこう
かたい…
ググ
ググ
うぐぐ
ぐ…

バキ
うわっ!!
ありゃ ぬけてない!?
せ 先輩! 歯が…
え?
あっ!?
なんてこった 歯がおれちまった
だからいったでしょう
歯が落ちてたわよ
くそ!! 根性のない歯め!!

前歯がないとなさけないな
瞬間接着剤で歯をくっつけよう!
ガラ
えっ接着剤で?
歯なんてプラスチックみたいなもんだ
両側の歯にピッタリとくっつけりゃ元にもどる
なおし方がすごいな
プラモデルの感覚ね!
つけ方がむずかしいぞ
こら!
じゃまをしやがって!!
ニャン

しまった！ちがう歯にくっついてしまった！
くそ！
ググ…
はずしてあげるから口をあけてよ
たのむぞ！
よいしょっ！かたいわね
あ
バキ
あいた！
別の歯もいっしょにとれちゃった！
こら!!
2本もつづけてとれたぞ！おかしいな!?
歯を酷使《こくし》しすぎたんですよ

丈夫なのをいいことに歯を大切に使ってないでしょう
そんなことない！月に一度くらいはちゃんと歯をみがくぞ！
毎日3回食後にみがくのよ！ふつうの人は！
110番
いっきにぬけちゃうかも知れないわよ働きすぎの人がバタリといくように…
こら！おどかすな!!
栄養のバランスもメチャクチャですからね　先輩の場合
この年で全部ぬけたら…と思うとおそろしい…
栄養のバランスって何をたべりゃ歯が丈夫になるんだ
カルシウムの多い物ですよ目ざしとかしらすぼしとか…

カルシウムの錠剤ならあるわよ！
なに!! わしにくれ！
ダッ
今からでもおそくない!!
あっ
ジャラジャラジャラ
全然味がない！まずい！
ポリポリポリ
いっぺんに飲んじゃうなんて
歯をみがくことも大切ですよ
そうだ！それはいえる！
大変だ！わしのハブラシがないぞ！
両ちゃんのは初めからないわよ！
よわったなまさか人の物を使うわけにはいかないしな
しかたないタワシでみがくことにしよう
ニュッ

まるでタイルみがきだな…
ゴシ
ゴシ
ゴシ
ゴシ
ん？
ゴシ
これは便所ブラシだうげっ!!
こんな所においとくな!!
今さら手おくれだかまわん!
クレゾールがきいてよくみがけるかも知れん!
ゴシ
ゴシ
ゴシ
ゴシゴシ
月に一度しかみがいてなかったなんて
まるで動物みたい
た大変だア!!
どうしたんです!
歯が10本もぬけてしまった!!
あーーっ!!

こんな物でみがくなんて…
ぷっ…
なにがおかしいんだ!
だってその顔
レレレのおじさんにそっくり!
レレッ
うるせ〜〜〜っくそ!
先輩!落ちついて!!
はなせ!中川!
ギッ
くく…く…
く…ぷぷ…
お前まで笑うんじゃない!
だって本当に似てますよ!

おいっ 緊急事態だというのに何をしてるんだ!!
実は部長 この中川たちが…
ぷっ
くく…
わははは… なんだ そのなさけない顔は!!
わははは
ははは
歯がぬけちゃったんですよ!!
トイレブラシで歯をみがいて なん本か おってしまったんです
何考えているんだ両津は!

緊急事態って何があったんですか？
実は大変なことが…
あっそうだ！
ぐぐ…ぷぷっ
くくく…
ぐふふ…
用件を早くいってください!!
ははは
お前が笑わすからいけないんだぞ
わははは
だいたいトイレブラシなんかで歯を…
アップで見るとよけいおかしい！
部長!!
わははは
バンバン

よし！まじめにいくぞ！
オホン
おい両津
はひ・
はひ・だって!!空気がもれてまぬけだ!!
はははは
しょうがなひでしょ！歯がなひんだから！
わははは
あははは
バン
バン
バン
いやぁ悪かった歯のぬけた君がかわいいものでついからかってしまった！
あはははくるしい
くそ〜
実は空巣《あきす》の常習犯がこの近くにひそんでいるという…
まて━━！
あっあいつだ！
まて〜

追われているぞ！よし！はさみうちだ！
つかまえたぞ！
うぬ
お前らなどにつかまるか!!
うわ
きゃあ
すごい怪力だ！
力なら負けん！両津いけ
おう

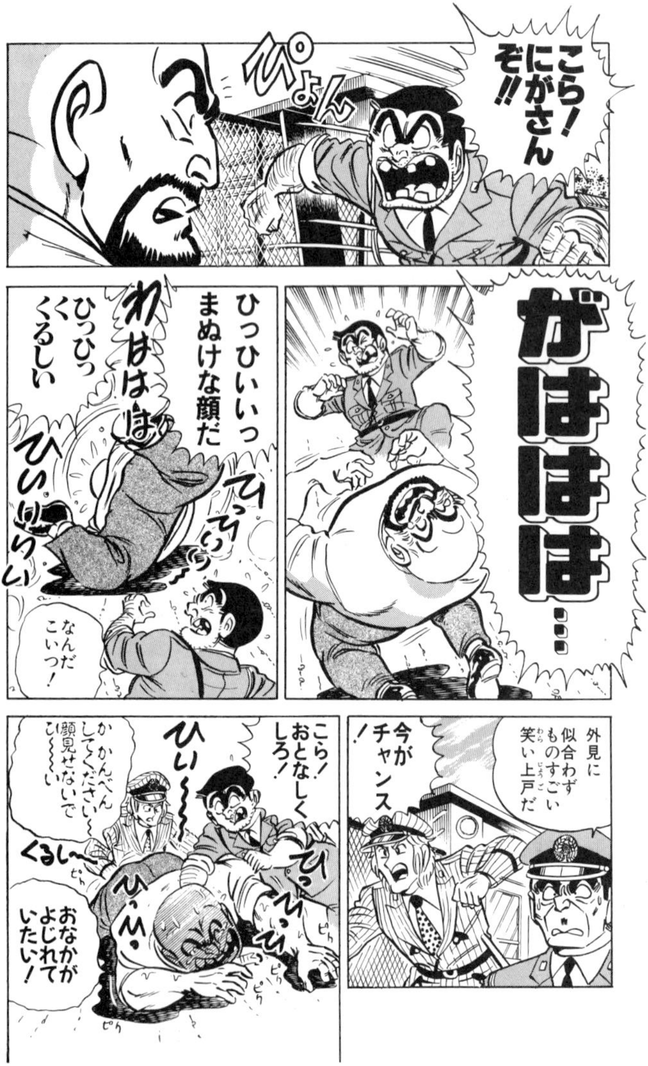

こら!にがさんぞ!!
ぴょん
がははは…
わははは
ひっひいいいっ まぬけな顔だ
ひっひっ くくるしい
ひぃひぃりりりぃ
てひっていり~
なんだ こいつっ!
外見に似合わずものすごい笑《わら》い上戸《じょうご》だ
今がチャンス!
こら!おとなしくしろ!
ひぃ~~~
か かんべんしてください~ 顔見せないでこ~~い
くるし~
ひぃ~ん
てひっひっ
おなかがよじれていたい!

また2本ぬけた このままじゃ 全部ぬけて しまうぞ!
先輩 早く 歯科医院に いった方が いいですよ!
年とると 歯からダメに なるというからな!
いくら体力が あったって もうりっぱな 中年だぞ お前は!
歯はもう生えて こないから 入れ歯しか…
やだ!! 入れ歯は 高いし かっこ悪い!
歯になん10万円も かけるなら プラ板で製作した 方がましだ!
ひいいいい
知り合いに 安く 総入れ歯を作って もらえるよう たのんでみますよ
因果応報《いんがおうほう》だ 大切にしない バチだ!
もう一度 かたやき せんべいが たべたかった よ~~~~
なんだと! 入れ歯は必要 なくなっただと!?
歯科医院で 診《み》てもらったん ですが…

ぬけたのは全部乳歯《にゅうし》なんですって!
なに!?そんなバカな!!
歯科医もおどろいていましたよ!
だから これから永久歯が生えてくるんですよ先輩は!
ふつうは小学生のうちに乳歯から永久歯に生え変わるはずだろ
先輩にきいたら今まで一本も歯がぬけた記憶がないといってました
すると今までずっと乳歯で生活していたのか?
そう…いうことになりますね
ようやく今から大人の歯が生えてくるんですよ
頭の中ばかりでなく歯まで子どもだったとは…
両津はどこにいるんだ
歯みがきをしてます新しく歯が生えてきたみたいで…

★週刊少年ジャンプ1989年17号

大江戸《おおえど》神輿《みこし》大騒動《おおそうどう》!!の巻《まき》
浅草

金龍山
雷門
観音 手打うどん
三社祭
12 13 14日
両さんたちが
入ると
三社祭《さんじゃまつり》が
めちゃくちゃに
なるんだ
大黒家
大黒家天麩羅
大黒家天
去年も
両さんたち三人組が
きたおかげで
宮出《みやだ》しに
4時間も
かかったものな!
担《かつ》ぎ方《かた》は
荒いし…
道順も
変えるし
みんなの和も
乱すし……
まったく
統率《とうそつ》が
とれない
からな
今年は
無事に三社祭を
終わらすために
両さんグループを
締め出すしか
ありませんな…
それが
一番かも
しれん!
よろしい!
締め出しと
いう結論で
いきましょう!!

なんだと三社から締め出し!?
亀有公園前派出所
春の交通安全
とんでもねえ話だ!新しく半《はん》てんも作ったのに!
ちゃんと町会費も払ってんだぞ!くそ~~~~!!
やつらがそういう態度にでるならこっちにも考えがある
今日 豚平《とんぺい》の所へいくから珍吉《ちんきち》もつれてこい!
ふざけやがって!ちくしょう
ガチャ
どうしたんです?
三社の宮神輿《みやみこし》をわしら三人には担がせないと本部できめやがったんだ!
浅草の三社祭のことですか?
何が楽しみって夏祭が楽しみで生きてるんだぞ下町っ子は!
浅草寺の地元であるわしを締め出すとは どういう了見《りょうけん》してんだ!
ダン

こんなつまんねえ仕事してるのも祭があるから我慢してんだぞ!
くそ!!
そんなにつまらん仕事か!
げっ部長!
とんでもない! 私 この仕事に生き甲斐を感じていますよ! ほんと!
やめたいならいつでもやめていいからな!
わしらは三社祭見にいくがお前だけ仕事だぞ
わかってますよ
でも三社の頃 花川戸《はなかわど》のばあさんがくたばりそうなんです! 葬式にでるため休むかもしれません
その人は去年なくなったんじゃないのか?
あれ・・・は千住《せんじゅ》のばあさんですよ! 別人です!
うちの親戚は夏に弱いんですよ 夏祭の頃にはバタバタつづけてなくなっちゃって……
は・は・は
お前の親戚はいったいなん人いるんだ?

浅草《あさくさ》　三社祭《さんじゃまつり》　初日《しょにち》
祭
おでん
祭

珍吉のやつおせえな!
悪い悪い!
どうだ手に入ったか!?
これが今年の朱《しゅ》引《び》きだ
よし!ごくろう!人手は集まったか?
7人集めてきたよ
宮神輿は1トンあるからな10人でひとり100キロだ大丈夫か?
担ぎのプロの連中ばかりだよ

あらま！勘吉ちゃんじゃないか！
豚《とん》ちゃんに珍《ちん》ちゃんも！悪たれ三人組が集まっちゃって何してんだい
いや！ちょっとね！
はははっ
そういやあんたたち三社から締め出しされたんだってね！かわいそうにね！
去年ちょっとあばれちゃったからね！今年は町会神輿で我慢しますよ！
全然気にしてないスよおれたち
おや！勘吉じゃないか!?
キッ
お前ら今年は宮神輿担いじゃだめだぞ
わかってますよそれじゃ
場所を変えよう知り合いが多すぎて秘密の相談ができない！
地元だからしょうがないよ！

三社祭《さんじゃまつり》最終日《さいしゅうび》
宮出《みやだ》し 午前5時30分
仲見世
両さんグループはきてないようですね
安心しちゃいかんぞ! たえず見はっているんだ!
今年はなんとか無事に宮出しができそうだ
一之宮神輿《いちのみやみこし》が南部方面! 二之宮神輿《にのみやみこし》が西部方面! 三之宮神輿《さんのみやみこし》が北部方面!
宮出しとともに三基の神輿が三方に散っていくわけだ!
三社祭

朱引きだと お昼頃に 二之宮が 千束《せんぞく》を通る はずだ
この町会が ねらい目だ 若い連中は ケンカに弱い!
ルルルル
ちょっと まて!
そこで 宮神輿を かっぱらう わけか!
なるほど
おう! 両津だ!
一之宮が 浅草神社を でたか!
よし! 行動開始だ!!
一之宮 現在 言問《こととい》通《どお》りですね 了解!
三之宮の現在地を 報告して ください!
ガヤ ガヤ ガヤ ガヤ

一之宮は この場所
二之宮は この場所
三之宮も時間通り
ここを進行中です
南
平成元年 浅草神社大祭
神輿三之宮南部渡御図
五月十四日
午前五時三十分宮出し
（宮入り予定二十時二十分）
朱引きを見ると 宮神輿の進行 ぐあいが ひと目で わかります
大切な宮神輿ですからね 宮出しから 宮入りまで 宮袢纏《みやばんてん》の者が ひとりずつついて 逐一 報告する わけです
なるほど お祭の 舞台裏は 大変ですね
今年は両さん グループが 自粛《じしゅく》して くれたので 進行がスムーズ ですよ
ははは
二之宮は現在 千束三丁目 です
両ちゃんたちが おとなしすぎて よけいに 不安ね
なんか いやな 予感がする
今町会長の 挨拶《あいさつ》が終わり これから神輿は 千束吉原《よしわら》町会に 移ります

それでは千束町会の青年部の方よろしくおねがいします
よっしゃどいたどいた!
通をあけてくれ!
よいさ!
ユサ
ユサ
オー
オー
どっこいさ!!
わっしょい
わっしょい
ユサ
手ぎわがいいねこの町会は!
去年はあんなじゃなかったのに…
あれ?朱引きとちがう道へ入ってったぞ
ガヤ
ガヤ
どうもおかしいな
ガヤ

町会長大変です!!
あ!?
あれはニセ者です半てんをとられて…
なんだって!
わはははやったぜ!!!
わははは
神輿ジャック大成功!!
わはは
なに!宮神輿がぬすまれた!!
はやく警察に連絡しなさい!
まさか?先輩たちじゃ!?

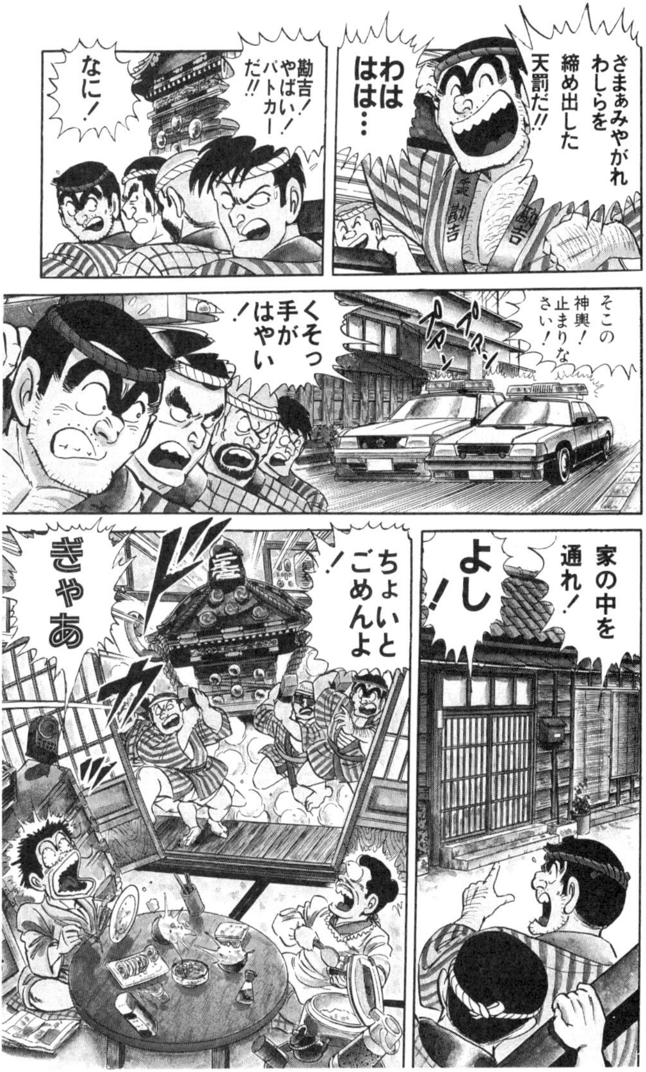
ざまぁみやがれ
わしらを
締め出した
天罰だ!!
わははは…
勘吉!
やばい!
パトカーだ!!
なに!
プァン
プァン
そこの神輿!
止まりなさい!
くそっ
手がはやい!
家の中を
通れ!
よし!
ちょいと
ごめんよ!
ドド
ぎゃあ

根性のあるパトカーだ！追ってくるぞ!!
プァーン
さすが地元だ！やるな!!
おーいタクシー！
キッ
ズシン
悪いけど神輿も乗せてくれ！
こらこら何すんだあんたら!!
ググッ
ぎえええつぶれる!!
それーっにげろ!!
全力でつっ走れ!!
ブオオオオ

うちの町会で宮神輿をとられるなんて浅草中の笑いものだ!!
ひいいい
町会長しっかりしてください
宮神輿がうばわれるとは六七七年もつづく三社祭はじまって以来だぞ!
ただ今大捜査網をしいて全力でさがしております!!
宮神輿の貸し切りだ! それ!
景気よくいけ!!
ワッショイ
ワッショイ
ワッショイ
ワッショイ
浅草の宮神輿じゃないのか? あれは?
なんでこんな所にいるんだ?
ちょっとつかれてきたな…
少し休むか
三《み》ノ輪《わ》までにげてくりゃもう追ってくるまい!
さすがに重いな・・こいつは

ガキの頃も子ども神輿をぬすみ出したのをおぼえてるか勘吉
あれはとったんじゃなくてとりかえにいったんだぞ
けっきょくあの神輿はバラバラにしちまったものな！
DRY BEER
朱引き通りじゃなく自由に担げる所がうれしいな！
東京中回って浅草の神輿を見せびらかそうぜ！
きゃあだれか！
なんだ!?
車が動かない!!
カンカンカン
おい！みんなこい！
高岩稚
浅草ときわ荘

どうだ！かかるか!?
バッテリーが完全にいかれちまってる！
押しても全然動かないぞこの車！
カン
カン
くそ！
都電《とでん》がくる！！
軌道内通行禁止
よし！みんなで担ぎ上げろ！
よし！
いいかいっきに上げるぞ
よいさ！
よいさっ!!!

それ ワッショイ
ユサ ユサ ユサ
ワッショイ!
ふう! なんとか 助かった!
どうも ありがとう ございます
はははは
宮神輿より 軽かったな!
担ぎ棒が ついてりゃ もっと楽 だったな
いやぁ いいことした あとは 気持ちいいな
わははは
さぁて 今度は本物の 神輿を担ぐか!

げっ 部長!?
やはり お前の しわざか
本来なら さらし首にでも したいくらいだが!
人助けも したと聞く それに 免じて…
今回は 丸刈りと 境内《けいだい》の掃除 3か月間!
両津 お前その寺に 就職しろ! 神輿の そばで生活できれば しあわせだろ!
全然 しあわせじゃ ありませんよ! 3か月も こんなこと できませんよ 助けて〜〜
おれたちまで まきぞえを くわされる とは…
三社祭罰当り10人衆
わははは
ははは

こちら葛飾区亀有公園前派出所⑥(完)

★週刊少年ジャンプ1989年25号

解説エッセイ「東京都葛飾区は世界の葛飾区デス」

阿部　進（教育評論家）

いわずと知れたギネスブックに、不滅の存在を示すのが東京都葛飾区です。すでにフーテンの寅さんが、映画「男はつらいよ」で最長シリーズを更新しています。

そして一九九六年、コミックスの世界で二十年、一千本（一千話）達成という前人未到の快挙が達成されます。

いわずとしれた両津勘吉氏をはじめとする、あの人々による「こちら葛飾区亀有公園前派出所」であります。

映画とマンガ、この映像文化を代表する二作品がナゼ東京都なのか？　そして葛飾区なのかということです。

またテレビ界では、警視庁捜査一課の古畑任三郎警部補が都下府中市分倍河原在住。そしてあの名探偵、浅見光彦は北区西ケ原三丁目……みなさん東京都民なのです。

今なぜ東京都なのか？　それはニューヨークと並んで世界の東京だからです。

＊

古畑警部補は本庁ですから、都下一円で事件が起こればでかけます。浅見光彦は全国区です。事件があれば何日も東京を留守にします。しかし両津巡査長は、常にこの二十年間葛飾区亀有公園前の派出所に居続け、そこで涙あり笑いあり、喜びも悲しみも時代の変り方も人の動きなどなど、一千話になる程のできごとを築いてきたのです。

生涯同一派出所勤務の巡査長として都民を守り続ける彼が居るからこそ、寅さんも全国的屋の旅を続けられるのです。いつでも安心して帰って来られる町、充実したらまた旅立てる町柴又は、中川橋を渡ってすぐです。

寅さんも二十五年続けてきました。でも今は歳をとりすぎました。御前さまも亡くなりました。さくらさんの息子も大人になりました。いずれ幕を引く日も来るでしょう。

しかし「我が亀有公園前派出所は永遠に不滅です」と宣言したのです。

一九九六年を「亀年元年」として内外に発表し「この先どうなる」という完全予想では、これから二十年二千話目標をぶち上げたのです。これはすごいの一言。他に言いようがありません。亀年元年三月末現在、古畑任三郎は三度目の登場、高視聴率を目ざして充電期間に入りました。浅見光彦も百冊記念の「華の下にて」を刊行したばかりで、百一冊目はちょっと間があるかも知れません。

両津勘吉は充電なしなのです。いや、続けつつ充電しているのです。動くことが休むことなのでしょう。

「長い間ご愛読ありがとうございました。両津勘吉巡査は派出所を去り、旅立ちました。十三年間の長期にわたり読み続けてくださった読者の方々にお礼を申し上げます。また会う日まで、さようなら——」

ハッとさせてすかさず「こんにちは！　みなさん！　両津勘吉長い旅から、よりパワーアップして帰ってきました！」　どうしてこうなるの？

過去二十年、これから二十年、合計四十年二千話を休みなく続けられる秘密が「両さんメモリアル」（秋本治自選こち亀コレクション4巻収録）にあります。昭和二十年代、東京・台東区千束に生まれたとあります。ぐるりが浅草、入谷、竜泉寺、日本堤です。つくだ煮屋の父・銀次と母・よねの長男、三歳にしてベーゴマ、メンコ、ビー玉の天才であったとのことです。

これは現在の彼を理解するための大事なキーポイントです。私は「三歳までに決まる」

（KABA書房刊）という育児書を書いています。沢山の方に読んで頂いています。その主旨は『「目、耳、ハナ、手足、口」の五つを五官といい「見る、聞く、嗅ぐ、さわる、味わう」の五つの感覚が育つ。それがもっとも大きく育つのが三歳ごろまでである。その頃身についた力が、その後の一生に大きくかかわってくる…』と説いています。ここにおいて両津勘吉は、プロ野球のイチロー選手、将棋の羽生七冠王と同じスタートを切っていたのです。

そして更に注目すべきことは、ホームグラウンドの台東区だけでなく、墨田、荒川、足立、江東の地区まで及び「浅草の風雲児」として下町一帯にとどろいていたとあります。地図で見れば、子どもとしての行動範囲が如何に広範囲に及んでいたかが判ります。江東区の辰巳、木場、富岡、深川、清澄。墨田区の両国、錦糸、亀戸、業平。荒川区の日暮里、南千住。足立区の橋戸、関屋、仲町など。堀切橋や四ツ木橋、平井大橋を渡って「いつの日にか葛飾区を」と思っていたにちがいない。大いなる荒川の向こうは、勘吉少年にとっては聖地であったのではないだろうか？　小学生から中学生へと大きくなる中で、彼はこの五官五感覚を最大限に生かし生きることのおもしろさ、楽しさを知ったのであろう。まさに東京の下町のすべてを己れのものとして身につけた、稀有の人物として私たちの前に登場したのです。
この逸材に目をつけた警視庁はするどい。
「…形がどうのこうのというより、並はずれた力を持っている勘吉に試験を受けさせ、知らぬまに警察官にさせ、公園前派出所に配置させていた…」というのがすごい。警察庁浅見刑事局長（浅見名探偵の実兄）の直々の配慮があったに違いない。
「…の巻」ではじまる一ページ目は、必ずどこかの場所です。むかしのある場所だったり、少しむかしの…そして今、その場から切り取った瑞々しいばかりの鮮明な形であったりします。一ページの絵と…の巻の二つで見事に「きょうはこの話だぜ！」と見せてしまう。この今までの約千ページを並べてみせれば「東京下町二十年の切絵草紙」ができあがってしまうのです。
彼が幼児の頃から駆けまわり、駆け抜けた下町には、これから二千話でも三千話でも語り切れないものがあるのです。
それをふと思いついたり、思い出した時切り取って読者に見せてくれる、ただそれだけのことなのです。不思議がったり大さわぎをしても、本人両津勘吉とその一党は、そんな思惑に付合ってはいられないのでしょう。

両津勘吉は、限りなく果てしない優しさを持っています。そしてあたたかさも持ち合わせています。そしてとてつもない決断力と行動力、それに好奇心、未知への洞察力、それらが一体となって回転をし前進するから魅力が生まれるのです。

両津勘吉、限りなく恋《いと》ほしい人です。

掲載作品は集英社より刊行されたジャンプ・コミックス『こちら葛飾区亀有公園前派出所』第63巻（1990年4月）第64巻（同6月）第65巻（同8月）の中から、著者自らが精選して収録したものです。

集英社文庫（コミック版）

こちら葛飾《かつしか》区《く》亀有《かめあり》公園前《こうえんまえ》派出所《はしゅつじょ》 6

1996年 4 月23日　第 1 刷
2009年 7 月31日　第17刷

定価はカバーに表示してあります。

著　者　秋《あき》 本《もと》 治《おさむ》

発行者　太 田 富 雄

発行所　株式会社 集 英 社
東京都千代田区一ツ橋 2 − 5 −10
〒101-8050
電話　03（3230）6251（編集部）
03（3230）6393（販売部）
03（3230）6080（読者係）

印　刷　図書印刷株式会社

ISBN4-08-617106-6 C0179